T'es branché? 2

Second Edition

Workbook

With the collaboration of

Jacques Pécheur

ST. PAUL, MINNESOTA

Publisher: Alex Vargas
Senior Editor: Nathalie Gaillot
Senior Associate Editor: Nicki Stevenson
Assistant Editor: May Vang
World Language Production Editor: Emily Tope

Cover Design: Leslie Anderson
Design and Production Specialists: Tammy Norstrem, Ryan Hamner
Illustrations: S4Carlisle Publishing Services

Photo Credits: iStock
p. 175: Claude Florent Donne Photographie (Modèle), Edelmar (#6), FotoW (#3), Lisa Valder Photography (#4), Nicholas (#5), Spodgorsek (#1, #2)

ISBN 978-1-53383-215-3

875 Montreal Way
St. Paul, MN 55102
Email: educate@emcp.com
Website: www.emcp.com

Printed in the United States of America

27 26 25 24 23 22 21 20 19 2 3 4 5 6 7 8 9 10

CONTENTS

Unité 1

Leçon A 1
Leçon B 18
Leçon C 30

Unité 2

Leçon A 39
Leçon B 52
Leçon C 67

Unité 3

Leçon A 80
Leçon B 87
Leçon C 96

Unité 4

Leçon A 103
Leçon B 114
Leçon C 124

Unité 5

Leçon A 134
Leçon B 140
Leçon C 154

Unité 6

Leçon A 165
Leçon B 173
Leçon C 180

Unité 7

Leçon A 187
Leçon B 198
Leçon C 206

Unité 8

Leçon A 213
Leçon B 223
Leçon C 230

Unité 9

Leçon A	238
Leçon B	249
Leçon C	260

Unité 10

Leçon A	269
Leçon B	283
Leçon C	293

Nom et prénom: ____________________ Classe: ______________ Date: ______________

Unité 1: Comment je passe l'été

Leçon A

Vocabulaire

1 Write in French the name of the holiday represented in the illustrations.

1. ____________________
2. ____________________
3. ____________________
4. ____________________
5. ____________________
6. ____________________

Nom et prénom: ______________________ Classe: ______________ Date: ______________

2 Fill in the chart below with the correct holiday dates for each country, if applicable. One example has been done for you.

	en France	**au Canada**	**aux États-Unis**
le Jour de l'an	le 1er janvier	le 1er janvier	le 1er janvier
la Saint-Valentin			
la Saint-Jean			
la fête nationale			
l'Action de grâce			
Thanksgiving			
la Toussaint			
Noël			

3 Write questions and answers to find the dates that correspond to each event below.

le deuxième lundi d'octobre   le 1er juillet   le 1er novembre   le 1er janvier

le 14 février   le 24 juin   le 14 juillet   le 25 décembre

MODÈLE le Jour de l'an
Quand a lieu le Jour de l'an?
Le Jour de l'an a lieu le 1er janvier

1. la fête nationale en France

____

____

2. la Toussaint

____

____

3. la Saint-Jean

____

____

4. la fête nationale au Canada

____

____

5. la Saint-Valentin

____

____

6. Noël

____

____

7. l'Action de grâce

____

____

Nom et prénom: ______________________ Classe: ______________ Date: ______________

4 Answer the following questions based on Abdel's planner.

MODÈLE Quand a lieu la rentrée des classes?
La rentrée des classes a lieu le mercredi 4 septembre.

1. Quand a lieu la visite du musée?

____

2. Quand a lieu le concert de Zaz?

____

3. Quand a lieu l'anniversaire de Chloé?

____

4. Quand a lieu la fête cinéma?

____

5. Quand a lieu le contrôle de français?

____

6. Quand a lieu le grand devoir de chimie?

____

Nom et prénom: ______________________ Classe: ______________ Date: ______________

5 Find out five events that are happening in your city this year. Say that you would like to go to each event. Then say when and where it will be taking place.

MODÈLE **Je voudrais aller au concert de Maître Gims. Il a lieu le samedi 30 octobre à Chicago.**

1. ______________________________

2. ______________________________

3. ______________________________

4. ______________________________

5. ______________________________

Culture

6 Identify the following places. Refer to the **Points de départ** in **Leçon A**, or do research online.

1. le Saint-Laurent ______________________________
2. le Vieux-Québec ______________________________
3. le Château Frontenac ______________________________
4. les plaines d'Abraham ______________________________
5. la Nouvelle France ______________________________
6. le Carnaval d'hiver ______________________________

Nom et prénom: ______________________ Classe: ______________ Date: ______________

7 Associate an event to the dates and names below, specifying if it is a French or Canadian celebration. Refer to the **Points de départ** in **Leçon A**, or search online.

Que se passe-t-il...?

1. le 20 mars

____

____

2. le 1er mai

____

____

3. le 21 juin

____

____

4. le 24 juin

____

____

5. le 1er juillet

____

____

6. le 14 juillet

____

____

7. le 1er novembre

____

____

Nom et prénom: ______________________ Classe: ______________ Date: ______________

8 Fill out the following information about **le Cirque du Soleil**. Do research online.

1. Date de création

   ____

2. Pays d'origine

   ____

3. Type de spectacles présenté

   ____

4. Nombre de spectacles

   ____

5. Villes aux États-Unis

   ____

6. Nombre de spectacles présentés

   ____

7. Retrouvez le nom des trois spectacles les plus célèbres du Cirque du Soleil

   ____

Structure

9 Complete the following sentences by writing the correct form of the verb **choisir** or **écouter**.

1. J'__________________ une chanson.
2. On __________________ le nouvel album de Samian.
3. Nous __________________ un film pour ce soir.
4. Tu __________________ ce roman à offrir à David?
5. Vous __________________ une bonne chanson à la radio?
6. Ah, ne __________________ pas cette boisson, il n'y a pas de sucre!
7. Non, mes parents n'__________________ pas ce genre de musique.
8. Bon, __________________ un cadeau, Amélie nous attend.

Nom et prénom: ______________________ Classe: ______________ Date: ______________

10 A lot is going on at Jacques's birthday party. Describe what everybody is doing. Follow the **modèle**.

MODÈLE Pierre et Ana (écouter leur lecteur MP3)
Pierre et Ana écoutent leur lecteur MP3.

1. Lamuel (regarder un match sur son portable)

____

2. Toi et moi, nous (parler au téléphone)

____

3. Latifa et Valérie (arriver tard)

____

4. Robert et Joachim (finir le gâteau)

____

5. Moi, je (chercher un coca)

____

6. Le père de Jacques (attendre la fin (*end*) de la fête)

____

7. Les copains et moi, on (danser un peu)

____

8. Amina (vendre ses CD)

____

Nom et prénom: ______________________ Classe: ______________ Date: ______________

11 Complete the following paragraph with the appropriate form of the verbs in parentheses.

Stéphanie (1) ____________________ (téléphoner) à son amie Clara. Elle

(2) ____________________ (attendre) Clara au centre commercial. Elles

(3) ____________________ (se retrouver) pour acheter un cadeau. Elles

(4) ____________________ (chercher) un livre ou de la musique. Elles (5) ____________________

(choisir) un album de Cœur de Pirate, puis, Clara (6) ____________________ (demander) à Rachid de venir les retrouver.

Il (7) ____________________ (arriver) une heure plus tard. Ils (8) ____________________

(manger) une pizza et (9) ____________________ (prendre) un coca ensemble. Rachid

(10) ____________________ (finir) le premier.

12 Complete the following paragraph by writing the correct form of the missing verbs.

finir prendre choisir acheter chanter
télécharger accompagner fermer maigrir

Aujourd'hui, il pleut. Ma mère (1) ____________________ ma grand-mère au marché.

Elles (2) ____________________ beaucoup de fruits et de légumes. Ma mère est contente parce

qu'elle (3) ____________________. Moi, je (4) ____________________ une chanson d'Amadou

et Mariam pour ma petite amie; ils (5) ____________________ bien! Mon père arrive et

(6) ____________________ la fenêtre. Bon, je (7) ____________________ ce mail parce que

nous (8) ____________________ le déjeuner dans quelques minutes; ma mère et ma grand-mère

sont là. On (9) ____________________ de manger en famille aujourd'hui!

Nom et prénom: ________________________ Classe: _______________ Date: _______________

13 Write the following sentences in the negative, using **ne ... pas**.

1. On arrive à huit heures.

____

2. Tu prends de l'engrais biologique pour tes plantes.

____

3. Votre frère et vous, vous finissez un marathon.

____

4. Je surfe sur Internet en ce moment.

____

5. Les parents de ma petite cousine achètent une nouvelle voiture.

____

6. On finit la vaisselle, chez toi!

____

7. Vous attendez le prof.

____

8. Toi, tu attends tes amis.

____

9. Mme Manchot vend des baguettes à ma boulangerie préférée.

____

10. Les Québécois regardent les feux d'artifice le 14 juillet.

____

14 Answer the following questions, using the negative expressions below.

jamais	pas	plus	personne	rien

MODÈLE Laurent est encore à la maison?
Non, il n'est plus à la maison.

1. Raoul est au concert?

____

2. Cédric est souvent absent?

____

3. Il y a quelqu'un avec Marie?

____

4. Inès achète quelque chose?

____

5. Nasser va souvent à la fête?

____

6. Stéphane et Stéphanie sont toujours en avance?

____

7. Alex apporte quelque chose?

____

8. Tu viens toujours?

____

Nom et prénom: ______________________ Classe: ______________ Date: ______________

15 Using the appropriate negative expression, rewrite the sentences. Follow the **modèle**.

ne ... jamais	ne ... personne	ne ...plus	ne ... rien

MODÈLE Marie-Paule va souvent à la piscine. (Ange)
Ange ne va jamais à la piscine.

1. Nous habitons toujours à Paris. (mes grands-parents)

____

2. J'apporte des petits gâteaux à la teuf. (toi)

____

3. On invite Djamel et Albertine à dîner ce soir. (ma famille)

____

4. Les Richard ont toujours deux enfants à la maison. (les Dali)

____

5. J'aime faire beaucoup de loisirs. (mon mari)

____

6. Mon oncle et ma tante ont fait du ski l'été dernier. (mon père et ma mère)

____

7. La prof d'espagnol va souvent au fitness. (le prof de maths)

____

8. Mon frère et moi, on fait souvent la cuisine. (toi)

____

9. Arielle a toujours la grippe. (mes cousins)

____

10. Tu joues avec tes amis le weekend. (Farida)

____

16 Fill in the blanks with the correct possessive adjective.

MODÈLE Oui, c'est **ma** mère. (à moi)

1. C'est ____________ photo? (à toi)
2. On va à ____________ anniversaire vendredi. (à toi)
3. Ce n'est pas ____________ stylo, mais c'est ____________ trousse. (à Gabriel)
4. Julie a perdu ____________ petite sœur au centre commercial. (à Julie)
5. Mes parents et moi, nous allons manger dans ____________ salon. (à nous)
6. Pierre et Florence font une promenade avec ____________ petits chiens au parc. (à Pierre et Florence)
7. Oui, je vais au café avec ____________ meilleure amie, ____________ copain, et ____________ parents. (à moi)
8. Vous avez trouvé ____________ sac à dos? (à vous)

17 Write complete sentences based on the elements below. Replace the articles with possessive adjectives.

MODÈLE Gérard/inviter/une amie.
Gérard invite son amie.

1. Nous/envoyer/des lettres du nouvel an.

   ____

2. Toi, tu/regarder/le film d'horreur préféré.

   ____

3. Maylis/ne pas manger/du poisson.

   ____

4. Les Robert/aller au cinéma/avec des amis.

   ____

5. Monsieur Jacquin, vous/aller chercher/une fille à l'aéroport?

   ____

Nom et prénom: ______________________ Classe: ______________ Date: ______________

18 Ask questions using **n'est-ce pas**, **est-ce que**, and inversion.

MODÈLE On arrive au café ensemble.
On arrive au café ensemble, n'est-ce pas?
Est-ce qu'on arrive au café ensemble?
Arrive-t-on au café ensemble?

1. Tu vas voir le film *Les intouchables* ce soir.

____

____

____

2. Maman va faire un couscous demain.

____

____

____

3. On a un contrôle de biologie avant le déjeuner.

____

____

____

4. Samian est le meilleur rappeur Québécois.

____

____

____

5. Vous avez visité l'Arc de Triomphe.

____

____

____

Nom et prénom: ______________ Classe: ______________ Date: ______________

19 Your best friend is going on vacation in Montreal. Write him or her eight questions about what he or she will see or do there. Use inversion.

1. ______________?
2. ______________?
3. ______________?
4. ______________?
5. ______________?
6. ______________?
7. ______________?
8. ______________?

20 Write the dates of the following holidays in numbers using the French system.

MODÈLE Noël
25/12

1. la Toussaint

____

2. le premier jour d'été

____

3. Halloween

____

4. la Saint-Valentin

____

5. le jour de l'indépendance aux États-Unis

____

Nom et prénom: ______________________ Classe: ______________ Date: ______________

21 Write the following dates in French. Use two different constructions.

MODÈLE 12/07
C'est le 12 juillet.
Nous sommes le 12 juillet.

1. 01/08

____

____

2. 06/08

____

____

3. 15/03

____

____

4. 09/11

____

____

5. 11/09

____

____

6. 01/04

____

____

7. 08/07

____

____

8. 21/12

____

____

Nom et prénom: ______________________ Classe: ______________ Date: ______________

22 Answer the questions with the correct dates. Follow the **modèle**.

MODÈLE Quand arrive le film *Mission Impossible*? (1/08)
Le film *Mission Impossible* arrive le 1er août.

1. Quelle est la date de la Journée internationale de la Francophonie? (20/03)

   ____

2. C'est quand, la soirée DJ David Guetta? (06/08)

   ____

3. Quand est-ce que le match de foot Lyon-Marseille passe à la télé? (15/02)

   ____

4. Quand est-ce qu'on participe à la semaine de surf? (12/04)

   ____

5. Quand a lieu le dîner avec le président? (27/06)

   ____

6. C'est quand, la journée avec l'écrivain Maryse Condé? (02/11)

   ____

7. C'est quel jour, le concert de Nolween, "Bretonne"? (10/07)

   ____

8. Quelle est la date de l'anniversaire de Robert Doisneau au Centre Pompidou? (03/09)

   ____

Leçon B

Vocabulaire

23 Write the name of each type of TV program below.

1. ______________________
2. ______________________
3. ______________________
4. ______________________
5. ______________________
6. ______________________
7. ______________________
8. ______________________

Nom et prénom: ______________________ Classe: _____________ Date: _____________

24 Match the vocabulary words in the left column with the correct definitions in the right column.

1. un bulletin météorologique
2. un présentateur
3. une émission de télé-réalité
4. une publicité
5. une émission de musique
6. les informations
7. un reportage sportif
8. un dessin animé
9. une sitcom
10. un jeu télévisé
11. une animatrice

A. une femme qui présente un jeu ou une émission de musique

B. quand des personnes jouent à la télé pour de l'argent

C. une compétition de sport à la télé

D. une série télévisée qui a une suite (*next episode*) tous (*every*) les jours ou toutes (*every*) les semaines

E. des histoires animées pour les enfants

F. l'annonce du temps qu'il va faire

G. un homme qui présente le journal (*news*) à la télévision

H. une interruption du programme pour un produit commercial

I. des personnes qui font des choses de la vie de tous (*every*) les jours

J. un programme avec des chanteurs ou des musiciens

K. ce qui se passe (*is happening*) dans le monde

Nom et prénom: ______________________ Classe: ______________ Date: ______________

25 Read the paragraph below and write what kind of TV program is on at the following times.

C'est les vacances et je regarde la télé aujourd'hui. Le matin entre huit et neuf heures, je regarde *Le journal de huit heures*, pour savoir (*know*) ce qui se passe dans le monde. Puis, de dix heures quinze à onze heures dix, c'est une heure de fun avec *Bugs Bunny*. À quatorze heures vingt-cinq, c'est l'heure de *Femmes de loi*, deux avocates intelligentes que je regarde le lundi. Puis à quinze heures trente, il y a un long segment de publicité, j'aime celle des yaourts Danone! À dix-sept heures, je zappe sur le rugby. À vingt heures, c'est l'heure de mon émission préférée, *Danse avec les stars*. Enfin, j'attends le soir parce qu'à vingt-deux heures quarante-cinq, il y a toujours un concert live sur M6.

1. à 8h00: ______________________________
2. à 10h15: ______________________________
3. à 14h25: ______________________________
4. à 15h30: ______________________________
5. à 17h00: ______________________________
6. à 20h00: ______________________________
7. à 22h45: ______________________________

26 Give your appreciation of the following types of TV programs, using the expressions in the legend.

J'aime un peu. ♥ J'aime bien. ♥ ♥ Je trouve ça passionnant! ♥ ♥ ♥ J'ai horreur de ça! 💔

MODÈLE Comment tu trouves les sitcoms? 💔
J'ai horreur de ça!

1. À ton avis, la météo, c'est comment? ♥ ♥ ♥

   ____

2. Est-ce que tu trouves que les émissions de télé-réalité sont intéressantes? ♥

   ____

3. Qu'est-ce que tu penses des feuilletons américains? ♥ ♥

   ____

4. Est-ce que tu trouves que les dessins animés sont bien? ♥ ♥ ♥

   ____

5. Et les publicités, à ton avis? 💔

   ____

Nom et prénom: ______________________ Classe: ______________ Date: ______________

27 Answer the following questions.

1. À ton avis, est-ce que les émissions politiques sont passionnantes?

   ____

2. Que penses-tu des publicités à la télévision américaine?

   ____

3. As-tu horreur des émissions de télé-réalité?

   ____

4. À ton avis, est-ce que les séries américaines sont intéressantes?

   ____

5. Est-ce que tu aimes les reportages scientifiques?

   ____

6. Est-ce que tu as horreur des dessins animés?

   ____

7. Est-ce que tu trouves que les informations sont super intéressantes?

   ____

8. Tu aimes les émissions de musique?

   ____

9. De quelles émissions as-tu horreur?

   ____

10. Est-ce que tu préfères les dessins animés français ou américains?

   ____

Nom et prénom: ____________________ Classe: ______________ Date: ______________

Culture

28 Say whether the following statements about Luxembourg are **vrai** (*true*) or **faux** (*false*). Refer to the **Points de départ** in **Leçon B**.

1. Le Luxembourg est un peu plus grand que la France. ____________
2. Le Luxembourg est un pays trilingue. ____________
3. Il y a environ un demi-million d'habitants. ____________
4. C'est un pays fondateur de l'Union européenne. ____________
5. Le Luxembourg n'a pas une place financière importante. ____________
6. La Cour de justice européenne a son siège à Luxembourg. ____________
7. Le Luxembourg est le premier centre d'investissement du monde. ____________

29 Answer the following questions about television. Refer to the **Points de départ** in **Leçon B**.

1. Quel est le nom du groupe de chaînes du service public en France?

   ____

2. Quels sont les trois grands groupes privés?

   ____

3. Quels sont les programmes de TF1?

   ____

4. Sur quelles chaînes regarde-t-on les informations?

   ____

5. Quelle est la caractéristique de TV5?

   ____

6. Que signifie TNT ?

   ____

7. Où trouve-t-on des chaînes thématiques ?

   ____

8. Quelle est l'importance de RTL Group ?

   ____

Nom et prénom: ______________________ Classe: ______________ Date: ______________

Structure

30 Say whether the following people are hungry or thirsty. Use the verb **avoir**.

MODÈLE M. et Mme Blanc prennent une limonade.
Ils ont soif.

1. Ella mange un sandwich.

   ____

2. Tu achètes un litre de lait.

   ____

3. On prend une tarte aux fruits.

   ____

4. Moi, je voudrais deux morceaux de pizza, s'il vous plaît.

   ____

5. Les copains et moi, nous voulons une omelette au fromage.

   ____

6. Voilà, vous avez deux verres de coca!

   ____

7. Ma copine et son copain prennent une grosse religieuse.

   ____

8. Ahmed et toi, vous prenez beaucoup de jus d'orange ce matin.

   ____

9. Tu ne manges pas, mais tu prends une boisson.

   ____

Nom et prénom: ________________ Classe: ____________ Date: ____________

31 Complete the following sentences with the correct form of **avoir** or **être**.

1. Désolé, je ne ____________ pas libre ce soir.
2. La prof de français ____________ quarante-cinq ans.
3. Les gymnastes belges ____________ très sportives.
4. Toi et ton cousin Bamatou, vous ____________ du Burkina Faso?
5. Mon meilleur ami et moi, nous ____________ envie de faire du ski à Chamonix.
6. Bon, tu n'____________ pas malade.
7. Pas possible, tu ____________ la grippe!
8. Le petit chien de François ____________ marron et noir.

32 Give the locations of the following people. Use the verb **être**.

MODÈLE Je prends le train à 8h40.
Je suis à la gare.

1. Les jeunes filles regardent une comédie romantique.

   ____

2. Nous commandons deux steak-frites et deux diabolos menthe.

   ____

3. Ton grand frère et toi, vous achetez de nouveaux vêtements pour l'école.

   ____

4. Ta cousine québécoise va au concert sur les plaines d'Abraham.

   ____

5. Ton oncle martiniquais et toi, vous nagez très bien!

   ____

6. Toi et moi, nous achetons des timbres.

   ____

Nom et prénom: ______________________ Classe: _____________ Date: ______________

33 Negate the following sentences as in the **modèle**. Pay attention to the indefinite article.

MODÈLE Il y a une télécommande à côté du programme de télé.
Il n'y a pas de télécommande à côté du programme de télé.

1. Tu achètes des billets pour le concert de rock.

____

2. Jean offre un cadeau à sa copine pour la Saint-Valentin.

____

3. Nous regardons un reportage sportif le soir.

____

4. Il y a du pain pour faire des sandwichs.

____

5. J'achète un vélo quand il pleut.

____

6. Les animateurs de TF1 présentent un nouveau jeu télévisé.

____

7. On voit un nouvel acteur dans notre série préférée.

____

8. Tu veux de la glace à la vanille.

____

Nom et prénom: _________________________ Classe: ________________ Date: ________________

34 Answer the following questions in the negative. Pay attention to the articles.

MODÈLES Tu connais un bon acteur?
Non, je ne connais pas de bon acteur.

Ta sœur aime les dessins animés?
Non, elle n'aime pas les dessins animés.

1. Dans ta famille, vous regardez des feuilletons américains?

____

2. Tes amis aiment les sitcoms?

____

3. Ton père regarde des films d'horreur?

____

4. On va voir une comédie au cinéma?

____

5. Il y a un programme intéressant à la télé ce soir?

____

6. Vous avez des chaînes françaises chez vous?

____

7. Est-ce que tes parents trouvent les émissions de musique intéressantes?

____

8. Tu vois une émission intéressante dans ce programme?

____

Nom et prénom: ______________________ Classe: ______________ Date: ______________

35 Fill in the blanks with the correct demonstrative adjective.

ce cette cet ces

1. Julie n'aime pas ____________ tee-shirt.
2. Grand-père veut regarder ____________ émission.
3. Est-ce que tu as vu ____________ animateur?
4. La chaîne Canal + va arrêter ____________ reportages sur l'environnement.
5. Moi, je veux bien voir ____________ publicités sur France 3.
6. Tu comprends ____________ présentatrice?
7. ____________ animal est en voie de disparition.
8. Enfin, nous pouvons prendre ____________ repas!

36 Ask questions using the elements below and the correct demonstrative adjective.

MODÈLE tu/feuilleton/série
Tu préfères ce feuilleton ou cette série?

1. vous/reportage sportif/émission scientifique

____

2. elle/dessin animé/jeux télévisés

____

3. il/informations/programme pour enfants

____

4. tu/présentateur/présentatrice

____

5. on/reportages historiques/informations politiques

____

6. les Français/chaîne luxembourgeoise/chaînes américaines

____

Nom et prénom: ______________________ Classe: ______________ Date: ______________

37 Say what the people have according to the illustrations. Use the correct form and placement of the adjectives.

grand	intelligent	beau	gros
généreux	nouveau	vieux	drôle

MODÈLE Élodie **Élodie a un prof intelligent.**

1. Anne **2. M. Brun** **3. les élèves**

4. Maxime **5. Moi, je** **6. Toi, tu** **7. Toi et moi, nous**

1. ____

2. ____

3. ____

4. ____

5. ____

6. ____

7. ____

38 Make comparisons using the following elements. Verify that the adjective agrees with the noun it qualifies.

MODÈLE Julie et Martine/beau (=)
Julie est aussi belle que Martine.

1. mon cousin et ma cousine/sympa (+)

____

2. mon père et mon grand-père/intelligent (-)

____

3. les garçons et les filles/énergique (+)

____

4. Francine et Célestine/sportif (+)

____

5. les hommes et les femmes/bavard (=)

____

6. mon chat et mon poisson/paresseux (+)

____

7. les bus et les trains/joli (-)

____

8. une piscine et une rivière/grand (-)

____

39 Compare your friends and family using adjectives. Write six sentences.

1. ____
2. ____
3. ____
4. ____
5. ____
6. ____

Nom et prénom: ______________________ Classe: ______________ Date: ______________

Leçon C
Vocabulaire

40 Match the vocabulary words in the left column with the appropriate reactions in the right column.

1. la maison hantée	A. C'est un peu difficile!
2. les jeux d'adresse	B. Ça va très haut!
3. une voyante	C. Je suis moche!
4. les montagnes russes	D. Quel accident!
5. un tour de manège	E. C'est pour les enfants!
6. la grande roue	F. Je vais devenir actrice de cinéma?
7. la galerie des miroirs déformants	G. Ça va trop vite!
8. les auto tamponneuses	H. J'ai peur!

41 Complete the following sentences with the appropriate vocabulary expressions. Be sure to add an article if it is needed.

manège	galerie des miroirs déformants	voyante
montagnes russes	jeux d'adresse	maison hantée
grande roue	autos tamponneuses	

1. J'aime le sport, je joue aux ______________________________
2. J'aime les effets spéciaux (*special effects*). Je vais dans ______________________
3. J'aime les sensations fortes. Je fais un tour de ______________________
4. J'aime avoir peur. Je vais à ______________________________
5. Je veux connaître le futur. Je vais voir ______________________
6. J'aime les voitures. Je fais un tour d' ______________________
7. J'aime la vue. Je fais un tour de ______________________
8. Je suis comme un enfant. J'aime le ______________________

42 Say what the following people are doing according to the illustrations.

MODÈLE

Max

Max fait un tour d'autos tamponneuses.

1. Valérie

2. M. et Mme Moen

3. la famille Rosheim

4. Kristina et Henry

5. Kim et moi, nous

6. Tanya

7. Paul et toi, vous

1. ____

2. ____

3. ____

4. ____

5. ____

6. ____

7. ____

Nom et prénom: ______________________ Classe: ______________ Date: ______________

Culture

43 Choose an amusement park in France. Refer to the **Points de départ** in **Leçon C**, and do research online.

1. Faites la présentation de ce parc en vous aidant du site du parc.

____

____

____

2. Faites le programme de votre visite. Dites quelles attractions vous allez voir, ce que vous allez manger, etc.

____

____

____

44 You are going to spend a day in La Ronde in Quebec. Write complete sentences to explain what you do at each of the following entertainment sites. Refer to the **Points de départ** in **Leçon C**.

1. Goliath: ____

2. le Vol Ultime: ____

4. l'Aqua Twist: ____

5. la Maison Rouge: ____

Structure

45 Answer the following questions, using the correct form of the verb **aller**.

MODÈLE Marie veut manger un bon repas. Où est-ce qu'elle va?
Elle va au restaurant.

1. Je veux voir un match de foot. Où est-ce que je vais?

____

2. Mes copains veulent avoir peur. Où est-ce qu'ils vont?

____

3. Brad veut étudier avant le contrôle d'histoire. Où est-ce qu'il va?

____

4. Tu dois prendre le train. Où est-ce que tu vas?

____

5. Les filles veulent faire du shopping. Où est-ce qu'elles vont?

____

46 Say what the people are doing according to what they like. Use an expression with the verb **faire**.

MODÈLE Nous aimons le ski.
Nous faisons du ski.

1. Ma famille adore le vélo.

____

2. Mademoiselle Foucault, vous aimez le patinage artistique.

____

3. Dans cette ville, on aime bien la grande roue.

____

4. Ghislaine et Thibault aiment beaucoup étudier.

____

5. M. Oualid est vieux mais il aime marcher.

____

Nom et prénom: ______________________ Classe: ______________ Date: ______________

47 Complete the following sentences with the appropriate form of the verb **aller** or **faire**.

MODÈLE Alain **va** au centre commercial où il **fait** des courses.

1. Nous ____________ à la médiathèque où nous ____________ nos devoirs sur Internet.
2. Tu ____________ en ville où tu ____________ une promenade.
3. Ils ____________ à la campagne où ils ____________ du sport.
4. Elle ____________ au stade où elle ____________ beaucoup de sport.
5. Vous ____________ au parc où vous ____________ du jogging.
6. Je ____________ à la maison où je ____________ mes devoirs.
7. Tu ____________ à la fête où tu ____________ une nuit blanche.

48 Say where the following people are coming back from. Use the appropriate form of **de** + definite article.

MODÈLE Ahmed et sa famille/le nord de l'Afrique
Ahmed et sa famille reviennent du nord de l'Afrique.

1. les Martin/Paris

   ____

2. les étudiants de français/les pays du Maghreb

   ____

3. tes amis/le nord de la France

   ____

4. mon frère et ma sœur/le festival de jazz de Montreux

   ____

5. Julie et Julien/les États-Unis

   ____

6. les Dos Santos/l'Italie

   ____

Nom et prénom: ______________ Classe: ______________ Date: ______________

49 Say to whom the following people give a present. Use the appropriate form of **à** + definite article.

MODÈLE Christian/les amis de sa sœur
Christian donne un cadeau aux amis de sa sœur.

1. Sabine/la meilleure amie de son père

____

2. Amidou/le cousin de sa mère

____

3. Cécilia/les invités de ses parents

____

4. Karima/l'amie de son cousin américain

____

5. Evenye/les parents de son père

____

50 Say where the following people come from, using the correct form of the verb **venir**.

MODÈLE Sophie/l'Algérie
Sophie vient d'Algérie.

1. Vous/les États-Unis

____

2. On/Port-au-Prince

____

3. Cécilia et son mari/le Cameroun

____

4. Toi et ta sœur/la Tunisie

____

5. Toi, tu/Tel-Aviv

____

Nom et prénom: ______________________ Classe: ______________ Date: ______________

51 According to their current circumstances, imagine what these people just did. Use the expression **venir de** + infinitive.

MODÈLE Alex a mal au ventre.
Il vient de manger un gros gâteau.

1. Hugo et moi, nous sommes fatigués.

____

2. Marion et sa sœur ont peur.

____

3. Augustin et toi, vous vous couchez à 16h00!

____

4. Les copains et moi, on n'a pas d'argent.

____

5. Moi, j'ai très chaud.

____

6. Shuang étudie ce soir.

____

7. Toi, tu n'as pas faim.

____

8. Mes amis ont mal au dos.

____

9. J'ai mal aux pieds.

____

10. Tu n'as pas soif.

____

Nom et prénom: ______________________ Classe: _____________ Date: ______________

52 Draw hands on the clocks to match the times below.

MODÈLE

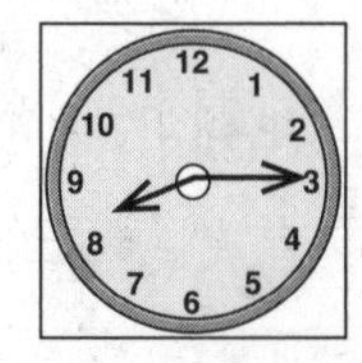

Valérie mange à huit heures et quart.

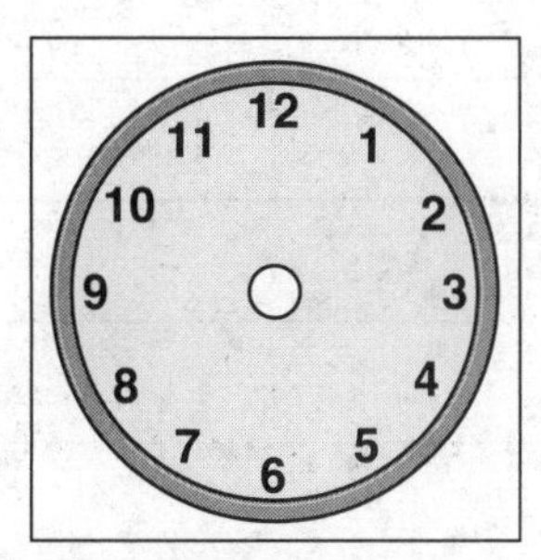

1. Nous regardons la télé à quatre heures vingt-cinq.

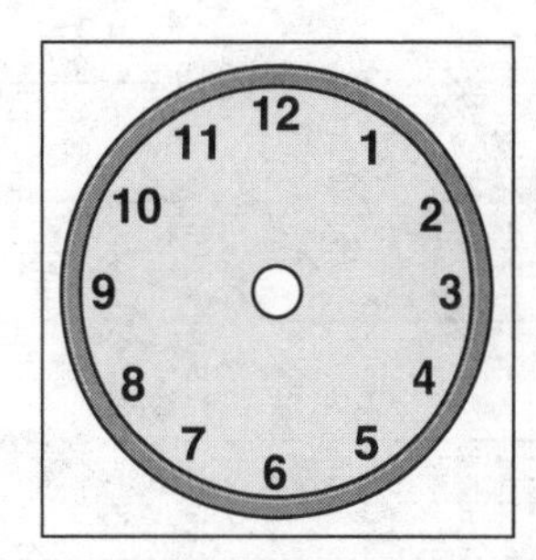

5. On a vu le film à huit heures moins vingt-cinq.

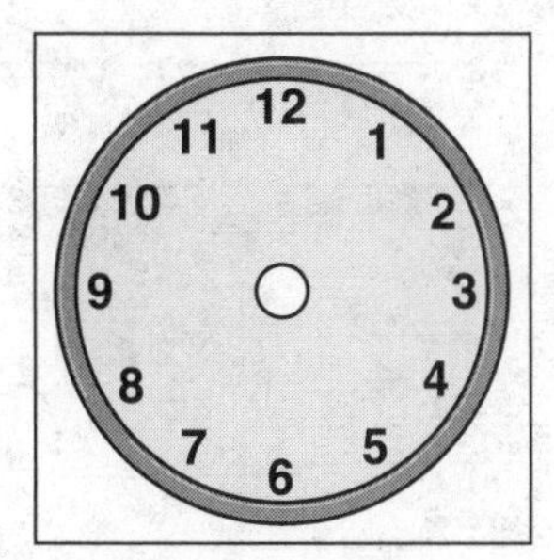

2. Alors, tu vas revenir avant midi?

6. Aujourd'hui c'est mercredi, je finis mes cours à une heure.

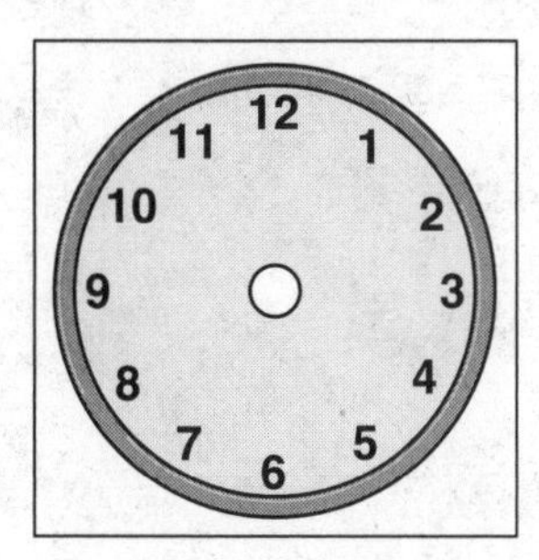

3. Ma meilleure amie est allée au concert de rock à six heures moins le quart.

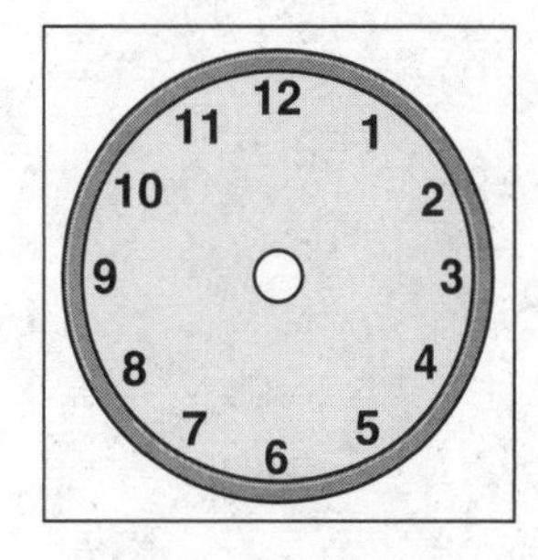

7. Mes amis vont au cinéma à trois heures et demie.

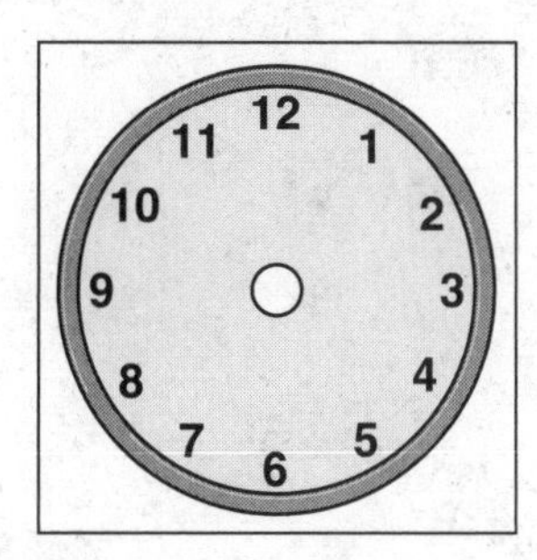

4. Tu prends le train pour Montréal à dix heures vingt.

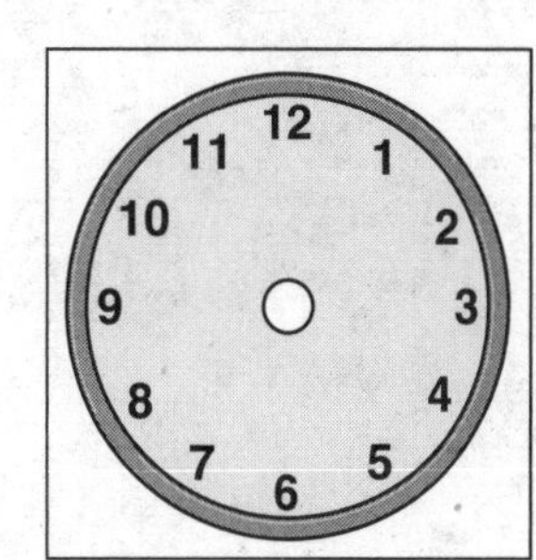

8. On va faire du shopping à neuf heures dix aujourd'hui?

Nom et prénom: ______________________ Classe: ______________ Date: ______________

53 Write out the following times. There may be two possibilities.

MODÈLE 11h35
onze heures trente-cinq; midi moins vingt-cinq

1. 5h45 ____
2. 12h04 ____
3. 2h15 ____
4. 8h20 ____
5. 1h15 ____
6. 4h40 ____
7. 7h45 ____
8. 10h50 ____

Nom et prénom: ______________________ Classe: ______________ Date: ______________

Unité 2: Dans la capitale

Leçon A

Vocabulaire

1 Fill in the blanks with the appropriate expression from the list below.

un chef-d'œuvre	une nature morte	un portrait abstrait
un portrait réaliste	un artiste	un objet d'art
une sculpture	une scène impressionniste	

1. Picasso est ______________________________.
2. La peinture de la chapelle (Sistine Chapel) par Michel-Ange est ______________________________.
3. *Le Penseur* de Rodin est ______________________________ célèbre.
4. Ce tableau de Monet est ______________________________.
5. Un portrait d'Eugène Delacroix est ______________________________.
6. Un portrait de Salvador Dali est ______________________________.
7. Cézanne a peint des pommes et des bananes dans un bol, c'est ______________________________.
8. Un vase décoré est considéré ______________________________.

2 Match the adjectives in the left column with their opposite in the right column.

1. amusant	A. sérieux
2. beau	B. anonyme
3. jeune	C. riche
4. pauvre	D. réaliste
5. heureux	E. vif
6. célèbre	F. laid
7. sombre	G. vieux
8. abstrait	H. triste

Nom et prénom: ______________________ Classe: ______________ Date: ______________

3 Rewrite each sentence, using the opposite adjective.

MODÈLES Alex est vieux.
Alex est jeune.

C'est un tableau abstrait.
C'est un tableau réaliste.

1. Cette sculpture est belle.

____

2. Vous êtes sérieuses!

____

3. Oui, cette peinture est vive.

____

4. Les artistes sont riches.

____

5. Ces couleurs sont très vives.

____

6. Cet objet d'art est moche.

____

7. Ce tableau est abstrait.

____

8. Oui, c'est un autoportrait sérieux.

____

9. J'aime les tableaux réalistes.

____

10. Au premier plan, il y a un jeune homme.

____

Nom et prénom: ______________________ Classe: ______________ Date: ______________

4 Rephrase the following sentences, using an adjective.

MODÈLE Jeffrey fait rire ses amis.
Il est amusant.

1. Mme Descola gagne beaucoup d'argent.

 ____

2. Mon actrice préférée joue dans les plus grands films.

 ____

3. Les Sanchez ont perdu leur fortune.

 ____

4. Toi et moi, nous faisons du sport tous les jours.

 ____

5. Tu pleures tout le weekend.

 ____

6. Ma cousine a 17 ans.

 ____

7. Les artistes travaillent toute la nuit.

 ____

8. Monsieur Rumpelstiltskin, vous n'êtes pas beau.

 ____

9. Tes anciennes copines racontent (*tell*) de drôles histoires.

 ____

10. J'ai tout, ma vie est parfaite.

 ____

Nom et prénom: ______________________ Classe: ______________ Date: ______________

5 Write about the following pieces of art. First say what kind of painting it is, then describe it. Follow the **modèle**.

MODÈLE  **C'est une scène abstraite. L'ambiance est triste.**

1.

2.

3.

4.

5.

6.

1. ____

2. ____

3. ____

4. ____

5. ____

6. ____

Nom et prénom: ______________________ Classe: _____________ Date: _____________

6 Research four paintings by four different artists, and write three sentences to describe each of them.

MODÈLE ***Impression soleil levant* est un tableau de Claude Monet. C'est une peinture impressionniste. Les couleurs sont sombres.**

1. ____

____

____

2. ____

____

____

3. ____

____

____

4. ____

____

____

Culture

7 Complete the following activities. Refer to the **Points de départ** in **Leçon A**, and do research online.

1. le musée du Louvre

Organisez une visite virtuelle du musée du Louvre. Aidez-vous du site du musée.

A. Choisissez le département que vous allez visiter. ____________________

B. Identifiez cinq œuvres qui vous plaisent plus particulièrement.

____

____

Continued on next page

C. Choisissez une de ces œuvres et décrivez-la.

____

____

2. le Centre Pompidou

Présentez les artistes américains présents dans les collections du Centre Pompidou.

A. À quels courants de l'art contemporain appartiennent-ils?

1. abstraction: ______________________________

2. pop art: ______________________________

B. Choisissez un de ces artistes.

1. Faites une présentation de cet artiste

____

____

2. Choisissez une œuvre de l'artiste dans la collection du Centre Pompidou et décrivez-la.

____

____

3. Expliquez pourquoi cette œuvre vous plaît.

____

____

3. le musée d'Orsay

Vous organisez la visite du musée d'Orsay en six tableaux.

A. Quels tableaux sélectionnez-vous?

1. ______________________ 4. ______________________

2. ______________________ 5. ______________________

3. ______________________ 6. ______________________

B. Quel est votre tableau préféré et pourquoi l'avez-vous choisi?

____

____

Nom et prénom: ______________________ Classe: ______________ Date: ______________

Structure

8 Complete the following sentences with the correct form of the verb **suivre**.

1. Je ____________________ un cours de physique.
2. Nous ____________________ une leçon de piano.
3. Tu ____________________ la bonne route.
4. Vous ____________________ les instructions pour télécharger ce logiciel?
5. Elle ____________________ un modèle pour faire ce portrait?
6. Mes parents ____________________ cette série tous les soirs!
7. Bien sûr, Jean ____________________ les résultats (*results*) du match de l'OM!
8. Toi et moi, nous ____________________ l'exemple de notre mère.

9 Say what the following people are not following. Use the **modèle** as your guide.

MODÈLE Jean-Charles/le professeur
Jean-Charles ne suit pas le professeur.

1. Ma famille et moi, nous/le résultat des élections

    ____

2. Les élèves/le problème de géométrie

    ____

3. Toi/la voiture devant toi

    ____

4. Les présentateurs des informations/le programme

    ____

5. Moi/mon petit chien

    ____

6. On/la question de Jeanne-Marie

    ____

Continued on next page

7. Mademoiselle Dupré, vous/le match de tennis à la télé?

____

8. Albertine et Michèle/leurs parents

____

10 Answer the following questions, using the **passé composé**.

1. As-tu visité le musée d'Orsay?

____

2. Est-ce que tu as fini tes devoirs pour demain?

____

3. As-tu vendu des vêtements pour avoir de l'argent?

____

4. Qui a choisi le programme télé hier soir?

____

5. Ta famille et toi, avez-vous dîné au restaurant la semaine dernière?

____

6. Tes grands-parents ont-ils invité toute la famille pour Noël?

____

7. Tes amis ont-ils attendu leurs parents après le cinéma?

____

8. Ton équipe de foot préférée a-t-elle perdu un match?

____

Nom et prénom: ______________________ Classe: ______________ Date: ______________

11 Write the original questions to the following answers. Use inversion.

MODÈLE Oui, j'ai visité le musée du Louvre l'année dernière.
As-tu visité le musée du Louvre l'année dernière?

1. Non, nous n'avons pas envoyé de cartes postales à notre famille.

   ____

2. Oui, mes amies ont déjà acheté ce tableau.

   ____

3. Oui, le président a acheté un tableau cubiste.

   ____

4. Oui, mes parents ont commandé une quiche aux champignons au café.

   ____

5. Non, ma grand-mère n'a pas attendu ma mère pour aller au musée.

   ____

6. Non, la classe d'anglais n'a pas surfé sur Internet pendant le mois de mars.

   ____

12 Rewrite the verbs in the following paragraph in the **passé composé**.

Bonjour! (1-Je passe) ________________ un super séjour à Paris. Mon copain Abunta et moi, (2-nous quittons) ________________ Dakar dimanche soir et (3-nous attendons) ________________ un taxi à l'aéroport de Paris ce matin. (4-Abunta décide) ________________ de visiter le Centre Pompidou en premier. (5-Je choisis) ________________ de prendre le métro, puis, (6-nous visitons) ________________ le musée. (7-Les autres touristes aiment) ________________ le tableau de Paul Klee, mais moi, (8-je préfère) ________________ les artistes plus réalistes.

Nom et prénom: ________________________ Classe: _______________ Date: _______________

13 Answer the following questions, using the subject indicated in parentheses.

1. Qui met le couvert chez toi? (je)

   ____

2. Qui met de la couleur sur ce tableau? (Paul et moi)

   ____

3. Qui met un nouveau tee-shirt? (Marie)

   ____

4. Qui met de l'ambiance à la fête? (Julien et toi)

   ____

5. Qui met de bonnes notes aux contrôles? (le prof de maths et le prof de français)

   ____

6. Qui met de la musique sur ce lecteur MP3? (toi)

   ____

7. Qui met une nouvelle peinture dans la salle du musée? (le directeur du musée)

   ____

8. Qui met des tennis avant d'aller au parc? (les enfants)

   ____

9. Qui met la télévision tous les soirs? (la tante de Jacques)

   ____

10. Qui met toujours un manteau en hiver? (on)

    ____

Nom et prénom: ______________________ Classe: _____________ Date: _____________

14 Answer the following questions, using the verb **prendre**.

MODÈLE Que prend Laurent avant d'aller au match de foot? (les billets)
Laurent prend les billets avant d'aller au match de foot.

1. Qu'est-ce que tu prends le matin pour aller à l'école? (le bus)

____

2. Qu'est-ce que vous prenez au café? (un coca)

____

3. Qu'est-ce que tes parents prennent quand ils ont faim? (un sandwich au jambon)

____

4. Qu'est-ce que nous prenons sur Internet? (quatre billets pour le concert)

____

5. Qu'est-ce que tu prends avant d'aller à la piscine? (ton maillot de bain)

____

6. Qu'est-ce qu'on prend à la cantine? (une salade niçoise)

____

7. Qu'est-ce que maman prend avant de faire les courses? (la liste des courses)

____

8. Qu'est-ce que les élèves prennent pour la classe de physique? (leur livre de physique)

____

9. Qu'est-ce que tu prends dans ton café? (du sucre)

____

10. Qu'est-ce qu'on prend pour le petit déjeuner? (du pain et de la confiture)

____

Nom et prénom: ______________________ Classe: ______________ Date: ______________

15 Answer the following questions using the verb **voir**.

MODÈLE Qu'est-ce que tu vois sur ce tableau abstrait? (un cheval)
Je vois un cheval sur ce tableau abstrait.

1. Qu'est-ce que vous voyez dans le tableau de Magritte? (une lumière vive)

____

2. Qu'est-ce que tu vois dans le musée? (la salle des impressionnistes)

____

3. Qu'est-ce qu'elles voient devant le Centre Pompidou? (des sculptures amusantes)

____

4. Qu'est-ce que les ados voient au cinéma? (un film de science-fiction)

____

5. Qu'est-ce que vous voyez sur les photos de vacances? (de beaux chevaux)

____

6. Qu'est-ce que Tanya voit sur le profil internet de Julie? (des photos de la teuf)

____

7. Qu'est-ce que le présentateur du journal télévisé voit dans le magazine? (un reportage sur le musée d'Orsay)

____

8. Qu'est-ce que vous voyez sur le tableau de Degas? (des jeunes filles qui dansent)

____

9. Qu'est-ce qu'on voit dans la salle de séjour? (un tableau de Van Gogh)

____

10. Qu'est-ce que tu vois sur mon ordinateur? (un site de musique française)

____

Nom et prénom: ________________________ Classe: ______________ Date: ______________

16 Complete the following sentences, using the correct form of the verb **mettre**, **prendre**, or **voir**.

1. Mon oncle ____________________ un petit gâteau à la pâtisserie le matin.
2. Les artistes ne ____________________ jamais la réalité.
3. Moi, je ne ____________________ jamais de chapeau pour aller à l'école.
4. Les Américains ____________________ du ketchup avec leurs frites.
5. Ma femme ne ____________________ pas la voiture pour aller au travail.
6. Est-ce que tu ____________________ des personnages au premier plan?
7. Nous ne ____________________ rien sur cet écran, il y a trop de lumière!
8. Les malades ____________________ rendez-vous chez le médecin.
9. Ma sœur et moi ____________________ le couvert pour les invités.
10. ____________________-vous des couleurs sombres ou vives sur un tableau réaliste?

Nom et prénom: ______________________ Classe: ______________ Date: ______________

Leçon B

Vocabulaire

17 Match the names of the locations with the correct definitions.

1. la pharmacie	A. On y achète des timbres.
2. le kiosque à journaux	B. On y achète des médicaments (*medicine*).
3. le bureau de tabac	C. On y achète des livres.
4. le fleuriste	D. On y va quand on est malade.
5. la librairie	E. On y achète des crêpes.
6. le stand de crêpes	F. On y va le dimanche.
7. le salon de coiffure	G. On y va quand on a mal aux dents.
8. le théâtre	H. On y va du lundi au vendredi.
9. la brasserie	I. On y achète des fleurs (*flowers*).
10. l'église	J. On y achète des cartes postales.
11. le cabinet dentaire	K. On y va pour voir des pièces (*plays*).
12. le lycée	L. On y va pour être beau.
13. le cabinet du médecin	M. On y va pour manger.

Nom et prénom: ______________________ Classe: ______________ Date: ______________

18 Name the place or places where you could do the following activities.

1. apprendre: ____________________
2. acheter un magazine culturel: ____________________
3. sortir avec ses amis: ____________________
4. voir un docteur: ____________________
5. acheter un cadeau: ____________________
6. manger: ____________________
7. changer son look: ____________________
8. lire: ____________________

19 Say where the following people went according to what they did.

MODÈLE Jeanne a mangé du jambon.
Elle est allée à la brasserie.

1. Jacques et Madeleine ont vu *Hamlet*.

____

2. Nous avons acheté le journal *Le Monde*.

____

3. Tu as acheté des roses pour ta mère.

____

4. Aïcha et Chadia ont acheté des médicaments (*medicine*).

____

5. J'ai eu un contrôle de sciences physiques.

____

6. Mme Ngong a mangé une crêpe au chocolat.

____

7. Toi et tes frères, vous avez vu des bandes dessinées.

____

Nom et prénom: ________________________ Classe: _______________ Date: _______________

20 Answer the following questions.

MODÈLE Où va-t-on pour acheter un livre?
On va à la librairie.

1. Où allons-nous pour écouter la messe (*mass*)?

____

2. Où vont les Vacher pour trouver des iris?

____

3. Où va Jessica pour étudier?

____

4. Où vas-tu quand tu es malade?

____

5. Où vont tes parents pour acheter de l'aspirine?

____

6. Où va Roberto pour manger des crêpes?

____

7. Où allez-vous, ta famille et toi, pour manger le weekend?

____

8. Où va Pierre pour acheter des chewing-gums et des magazines?

____

21 A tourist is asking you for directions. Tell him to turn left, right, or go straight, according to the arrows.

MODÈLE Où est la pharmacie, s'il vous plaît? ←
Tournez à gauche.

1. Où est le cabinet dentaire, s'il vous plaît? ↑

____

2. Où est le fleuriste, s'il vous plaît? →

____

3. Où est le lycée, s'il vous plaît? →

____

4. Où est l'église, s'il vous plaît? ←

____

5. Où est le salon de coiffure, s'il vous plaît? ↑

____

6. Où est la librairie, s'il vous plaît? ←

____

7. Où est le cabinet du médecin, s'il vous plaît? →

____

8. Où est le théâtre, s'il vous plaît? ←

____

9. Où est le kiosque à journaux, s'il vous plaît? ↑

____

10. Où est la brasserie, s'il vous plaît? ←

____

Nom et prénom: ______________________ Classe: ______________ Date: ______________

22 Give initial directions to M. Pierre-Louis as he goes from store to store according to the map. He is in front of the high school facing south. Follow the **modèles**.

MODÈLES Où est le stand de crêpes, s'il vous plaît?
Tournez à gauche.

Où est la pharmacie, s'il vous plaît?
Tournez à droite, puis encore à droite.

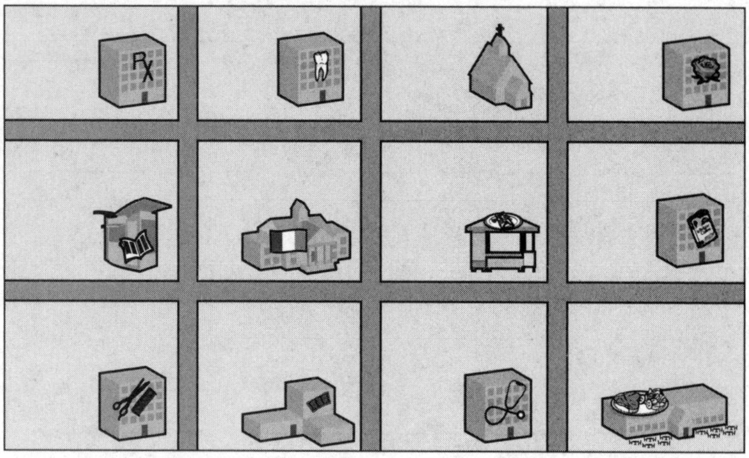

1. Où est le théâtre, s'il vous plaît?

____

2. Où est le salon de coiffure, s'il vous plaît?

____

3. Où est le kiosque à journaux, s'il vous plaît?

____

4. Où est la librairie, s'il vous plaît?

____

5. Où est le stand de crêpes, s'il vous plaît?

____

6. Où est l'église, s'il vous plaît?

____

7. Où est le cabinet dentaire, s'il vous plaît?

____

8. Où est le cabinet du médecin, s'il vous plaît?

____

Nom et prénom: ______________________ Classe: ______________ Date: ______________

23 Give directions to find places in your hometown according to the questions asked. You are at the library.

1. Excusez-moi, pouvez-vous m'indiquer le chemin pour aller au lycée, s'il vous plaît?

   ____

   ____

2. Excusez-moi, pouvez-vous m'indiquer le chemin pour aller chez le fleuriste, s'il vous plaît?

   ____

   ____

3. Excusez-moi, pouvez-vous m'indiquer le chemin pour aller au cinéma, s'il vous plaît?

   ____

   ____

4. Excusez-moi, pouvez-vous m'indiquer le chemin pour aller au cabinet dentaire, s'il vous plaît?

   ____

   ____

5. Excusez-moi, pouvez-vous m'indiquer le chemin pour aller à l'église, s'il vous plaît?

   ____

   ____

6. Excusez-moi, pouvez-vous m'indiquer le chemin pour aller au théâtre, s'il vous plaît?

   ____

   ____

7. Excusez-moi, pouvez-vous m'indiquer le chemin pour aller au centre commercial, s'il vous plaît?

   ____

   ____

8. Excusez-moi, pouvez-vous m'indiquer le chemin pour aller à la librairie, s'il vous plaît?

   ____

   ____

Nom et prénom: ______________________ Classe: ______________ Date: ______________

Culture

24 Answer the following questions about different Parisian districts. Refer to the **Points de départ** in **Leçon B**.

1. Vous préférez habiter dans la rive droite ou la rive gauche? Pourquoi?

   ____

2. Dans quel arrondissement de la rive droite préférez-vous habiter?

   ____

   A. Quel est l'intérêt principal de ce quartier?

   ____

   B. Qu'est-ce que vous voudriez y faire?

   ____

3. Décrivez un endroit de Paris que vous aimez particulièrement, et dites pourquoi.

   ____

   ____

25 Answer the following questions about **la rive gauche** in Paris. Refer to the **Points de départ** in **Leçon B**.

Vous visitez les nouveaux quartiers de la rive gauche. Où allez-vous pour...?

1. faire du shopping ____
2. voir une rétrospective de films muets ______________________________
3. visiter une exposition sur les arts premiers ___________________________
4. trouver des livres en français sur un sujet qui vous intéresse ______________
5. vous détendre dans un espace végétal _______________________________

Structure

26 Answer the following questions in the affirmative, using the correct form of the verb **vouloir**.

1. Veux-tu aller au cinéma samedi soir?

____

2. Rachid veut-il acheter des fleurs?

____

3. Tes parents veulent-ils aller à la brasserie?

____

4. Madame Sansonetti veut-elle venir avec nous?

____

5. Ahmed et Ferdinand, voulez-vous faire la cuisine ce soir?

____

6. Charles et moi, voulons-nous faire une promenade au parc?

____

7. Les filles veulent-elles faire du shopping?

____

8. Ton oncle veut-il organiser la fête?

____

9. Voulez-vous acheter des fleurs, Madame Cohen?

____

10. À ton avis, est-ce que je veux danser à la discothèque vendredi?

____

27 Say what the following people can do. Use the correct form of the verb **pouvoir**.

MODÈLE regarder un match à la télé (nous)
Nous pouvons regarder un match à la télé.

1. aller au théâtre (David et Louise)

____

2. trouver un site internet (Claudia)

____

3. téléphoner au médecin (toi)

____

4. acheter une nouvelle voiture (ta sœur)

____

5. préparer l'anniversaire de mariage (*wedding anniversary*) de nos grands-parents (nos parents)

____

6. envoyer un texto à Abdou (moi)

____

7. indiquer le chemin au touriste (le directeur)

____

8. choisir des fleurs pour Mme Merrick (Diana et toi)

____

9. marcher dans Paris (Farid et Patrick)

____

10. visiter le Centre Pompidou dimanche (toi et moi)

____

Nom et prénom: ______________________ Classe: ______________ Date: ______________

28 Fill in the blanks with the correct form of the verb **devoir**.

1. –Est-ce que vous ____________________ aller à la pharmacie aujourd'hui?
2. –Oui, nous ____________________ aller à la pharmacie aujourd'hui.
3. –Est-ce que tu ____________________ faire la cuisine ce soir?
4. –Non, je ne ____________________ pas faire la cuisine ce soir.
5. –Est-ce que tes cousines ____________________ dire la vérité (*truth*) à ta tante?
6. –Oui, elles ____________________ toujours lui dire la vérité.
7. –Est-ce que nous ____________________ nager dans cette piscine?
8. –Oui, vous ____________________ nager dans cette piscine.

29 Fill in the blanks with the correct form of **devoir**, **vouloir,** or **pouvoir**.

Danielle (1) ____________________ (ne pas pouvoir) sortir ce soir parce qu'elle (2) ____________________ (devoir) aider son petit frère. Ses parents (3) ____________________ (vouloir) aller au théâtre et ils (4) ____________________ (devoir) partir à dix-neuf heures. "Tu (5) ____________________ (pouvoir) téléphoner à tes amis mais ils (6) ____________________ (ne pas pouvoir) venir ici. Nous (7) ____________________ (vouloir) que tu restes avec Pierre, ton frère," dit sa mère. "Tout le monde (8) ________________ (vouloir) s'amuser!," répond (*answers*) Danielle, "Mais moi, je (9) ____________________ (ne pas pouvoir)."

Nom et prénom: ______________________ Classe: ______________ Date: ______________

30 Rewrite the following sentences with the verb **falloir**.

MODÈLE Nous devons aller chez le dentiste.
Il faut aller chez le dentiste.

1. Tu dois venir au parc d'attractions avec nous.

____

2. Je dois finir mon devoir sur la culture algérienne.

____

3. Est-ce qu'on doit aller à la librairie après les cours?

____

4. Non, vous ne devez pas acheter ce livre aujourd'hui.

____

5. Lydia ne doit pas emmener son petit frère chez le médecin.

____

6. Maxime doit prendre une photo de la tour Eiffel.

____

7. Mes amis doivent acheter des magazines au bureau de tabac.

____

8. Je ne dois pas choisir le film ce soir.

____

Nom et prénom: ________________________ Classe: _______________ Date: _______________

31 Say what people did last weekend, using the elements provided. Write sentences in the **passé composé**.

MODÈLE voir un film avec mon ami Michel (je)
J'ai vu un film avec mon ami Michel.

1. être malade samedi matin (mon frère et moi)

   ____

2. devoir aller à l'église avec toute la famille (toi)

   ____

3. faire du sport au stade (les élèves)

   ____

4. prendre le métro pour aller au musée (Adèle)

   ____

5. suivre une émission scientifique à la télé (Monsieur Chavert, vous)

   ____

6. lire un article sur un site internet (Jeanne et Salima)

   ____

7. étudier dimanche soir (mon père)

   ____

8. falloir jouer avec mes cousins (*impersonal subject*)

   ____

Nom et prénom: ______________________ Classe: ______________ Date: ______________

32 Rewrite the following sentences, using the **passé composé.**

MODÈLE Nous avons une bonne note en anglais.
Nous avons eu une bonne note en anglais.

1. Tu ne peux pas synchroniser ton lecteur MP3.

____

2. On doit aller au salon de coiffure.

____

3. Vous offrez des fleurs à votre grand-mère.

____

4. Étienne suit les informations à la radio.

____

5. Mes copains mettent le couvert pour les invités.

____

6. Voyez-vous les tableaux de Degas?

____

7. Je ne veux pas sortir au théâtre.

____

8. Nous faisons les courses à Auchan.

____

33 Transform the following sentences into commands.

MODÈLE Vous tournez à gauche dans la rue du Chêne.
Tournez à gauche dans la rue du Chêne!

1. Tu regardes un feuilleton avant le match.

____

2. Nous attendons Khaled devant la bouche du métro.

____

3. Vous choisissez le plus beau bouquet de roses.

____

4. Tu choisis un film d'aventure.

____

5. Tu prends les billets de théâtre.

____

6. Nous finissons le contrôle de géographie.

____

7. Vous sortez du lycée à quatorze heures.

____

8. Tu parles français en classe de français.

____

Nom et prénom: ______________________ Classe: ______________ Date: ______________

34 Give commands in response to the questions. Follow the **modèle**.

MODÈLE Est-ce que je dois dîner au restaurant ou préparer le repas?
Dîne au restaurant! Ne prépare pas le repas!

1. Est-ce que je dois regarder un film au cinéma ou étudier pour le contrôle d'histoire?

   ____

2. Est-ce que nous devons finir la conférence ou attendre le bus?

   ____

3. Est-ce que vous devez prendre un café avec les copains ou rester à la maison?

   ____

4. Est-ce que je dois acheter un manteau ou acheter une robe?

   ____

5. Est-ce que vous devez téléphoner à votre grand-père ou choisir un film?

   ____

6. Est-ce que je dois vendre mes vêtements ou acheter d'autres vêtements?

   ____

7. Est-ce que vous devez choisir un sandwich ou manger un gâteau?

   ____

8. Est-ce que nous devons rendre visite aux malades ou mettre le couvert?

   ____

Nom et prénom: ______________ Classe: __________ Date: __________

Leçon C
Vocabulaire

35 Associate each vehicle in the left column with the corresponding definition in the right column.

1. la voiture
2. le train
3. l'avion
4. le scooter
5. l'Autolib'
6. le Vélib'
7. le RER
8. le bateau
9. le taxi

A. On peut l'appeler ou le trouver à une station.
B. On le prend à l'aéroport.
C. Elle est parfaite pour une famille!
D. On peut aller sur l'océan ou un lac.
E. On le prend à la gare.
F. C'est pour aller de la banlieue à Paris.
G. Il a deux roues (*wheels*) et un moteur.
H. C'est un moyen de transport qui est bon pour l'environnement.
I. C'est un moyen économique d'utiliser une voiture.

36 List means of transportation under each category.

1. moyens de transport individuels: __________, __________, __________, __________, __________
2. moyens de transport collectifs (*common*): __________, __________, __________, __________, __________, __________, __________
3. deux roues (*wheels*): __________, __________, __________
4. quatre roues (*wheels*): __________, __________, __________, __________
5. moyens de transport sur la route (*road*): __________, __________, __________, __________, __________, __________, __________
6. transports dans les airs: __________

Continued on next page

7. moyens de transport sur rail: ____________________, ____________________, ____________________

8. moyens de transport sur l'eau: ____________________

37 Name the following vehicles. Use the preposition **en** or **à** before each noun. **On se déplace**...

1. ______________________________
2. ______________________________
3. ______________________________
4. ______________________________
5. ______________________________
6. ______________________________
7. ______________________________
8. ______________________________
9. ______________________________

Nom et prénom: ______________________ Classe: ______________ Date: ______________

38 Write the type of transportation Malik is using this month according to the clues in the sentences.

MODÈLE Malik va de Paris à Londres.
Il se déplace en avion.

1. Malik fait une excursion de Paris à Versailles.

____

2. Malik circule en ville avec deux amis. Il demande son chemin.

____

3. Malik achète un ticket pour circuler en ville, puis il choisit un siège.

____

4. Malik achète un billet sur Internet. Puis, il attend sur le quai.

____

5. Malik circule à la campagne pendant trois heures. Il a mal aux jambes.

____

6. Malik va au bureau de poste près de chez lui.

____

7. Malik fait un voyage en Suisse sur le Lac Léman.

____

8. Malik a besoin d'aller à une adresse qu'il ne connaît pas pour rejoindre ses amis samedi soir. Il doit se dépêcher pour ne pas être en retard.

____

Nom et prénom: ______________________ Classe: ______________ Date: ______________

39 Match the different places in Versailles in the left column with the correct definitions in the right column.

1. les jardins de Versailles
2. la chambre de la reine
3. la galerie des Glaces
4. la chapelle
5. le hameau de la Reine
6. les petits appartements
7. le château de Versailles
8. le roi
9. la reine

A. l'un des plus grands châteaux de France
B. la femme du roi
C. un endroit religieux
D. une petite ferme
E. là où Marie-Antoinette préfère dormir
F. Il y a des sculptures et des fleurs.
G. là où sont la chambre et le salon de la reine
H. Louis XIV
I. un couloir avec beaucoup de lumière et de réflexions

40 You are reading a guide for the Château de Versailles. Identify the following places in one sentence.

1. C'est une superbe galerie faite de beaucoup de miroirs.

____

2. C'était un roi de France marié à Marie-Antoinette.

____

3. C'était la femme de Louis XVI, roi de France.

____

4. C'était le plus grand château de France.

____

5. C'était l'endroit de religion où on baptisait les enfants.

____

6. C'étaient la chambre et le salon de la reine.

____

7. Ce sont les arbres, les fleurs, et les sculptures autour (*around*) du château de Versailles.

____

Nom et prénom: ______________________ Classe: ______________ Date: ______________

Culture

41 Answer the following questions about tourist offices in France. Refer to the **Points de départ** in **Leçon C**.

1. Combien d'offices de tourisme y a-t-il en France? ______________________________
2. Combien de syndicats d'initiatives y a-t-il en France? ______________________________
3. Quels outils numériques les offices de tourisme proposent-ils?

   ____
4. Quel genre d'information peut-on trouver dans un office de tourisme?

   ____

   ____
5. Est-ce que les offices de tourisme donnent des informations politiques? ________________
6. Est-ce que les offices de tourisme donnent des informations culturelles? ________________

42 Write **vrai** if the following statements are true, and **faux** if they are false. Refer to the **Points de départ** in **Leçon C**.

1. Le RER signifie "Réseau express régional d'Île de France." ________________
2. Le RER va là où vont les trains et les métros. ________________
3. Il y a sept lignes de RER. ________________
4. Il y a plus de 587 stations de RER. ________________
5. On peut prendre le RER pour aller à la gare. ________________
6. On peut prendre le RER à l'aéroport. ________________
7. Les cinéastes français prennent le plus souvent le RER. ________________

Nom et prénom: ______________________ Classe: ______________ Date: ______________

43 Do the following activities. Refer to the **Points de départ** in **Leçon C**.

A. Faites des recherches en ligne, puis écrivez le pitch d'un des films suivants.

Subway de Luc Besson avec Christophe Lambert
Buffet froid de Bertrand Tavernier avec Gérard Depardieu
La fille du RER d'André Téchiné avec Catherine Deneuve

____

____

____

____

____

B. Vous commencez un blog de voyage. Choisissez un endroit du Château de Versailles que vous préférez, et faites-en une description.

____

____

____

____

____

Structure

44 Fill in the blanks with the correct form of the verb **partir**.

1. Myriam et Paul ____________________ en voiture.
2. Papa, tu ____________________ au bureau ce matin?
3. M. et Mme Kosto, vous ____________________ ensemble?
4. Moi, je ne ____________________ pas avant 16h30.
5. Bon, on ____________________ chez le dentiste.
6. Toi et moi, nous ____________________ enfin en vacances!
7. Bertrand ____________________ en voiture pour rentrer à la maison.
8. Pourquoi ____________________-vous si tôt aujourd'hui?

Nom et prénom: ______________________ Classe: ______________ Date: ______________

45 Say where the following people are coming from according to the illustrations. Use the verb **sortir**.

MODÈLE

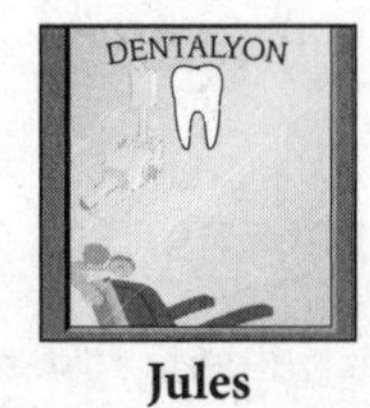

Jules

Jules sort du cabinet dentaire.

1. Pauline et Sacha

2. moi

3. toi et moi

4. on

5. M. et Mme Gros

6. le prof de maths

7. toi

8. vous

1. ____
2. ____
3. ____
4. ____
5. ____
6. ____
7. ____
8. ____

Nom et prénom: ______________________ Classe: ______________ Date: ______________

46 Fill in the blanks, using the correct form of the verb in the **passé composé**.

MODÈLE Brigitte **est arrivée** à la gare à 10h00. (arriver)

1. Laure et Julianne _________________________ très tôt pour faire une promenade. (partir)
2. Van Gogh _________________________ peindre des portraits de ses amis. (aller)
3. Lucien et moi, nous _________________________ écouter cette nouvelle chanson. (venir)
4. Malika et Aïcha, vous _________________________ de l'avion en dernier. (descendre)
5. Alex, tu _________________________ en voiture pour aller à la campagne. (monter)
6. Moi, Yasmine, je _________________________ à la maison bien fatiguée. (rentrer)
7. Nathalie et son mari _________________________ samedi soir. (sortir)
8. M. Beraouane, vous _________________________ de votre voyage en avance. (revenir)
9. On _________________________ dans une auberge de jeunesse à la campagne. (rester)

47 Rewrite the following sentences, using the **passé composé**.

MODÈLE Paul et moi, nous revenons d'Hawaï.
Paul et moi, nous sommes revenus d'Hawaï.

1. Béatrice, tu montes dans le bus.

____

2. Les ados vont à la MJC.

____

3. Mon père sort du travail à 18h00.

____

4. Isabella revient de chez le médecin.

____

5. Moi, j'arrive en France hier soir.

____

6. Alain, tu descends du métro avec moi.

____

48 Answer each question in the **passé composé**, using the negative form.

MODÈLE Tu es arrivé(e) à l'heure?
Non, je ne suis pas arrivé(e) à l'heure.

1. Julie est allée chez le dentiste ce matin?

____

2. Pierre et Chadia, vous êtes partis avec des amis?

____

3. Henri, tu es monté dans le métro après le match?

____

4. Madame Lelard est descendue en ville?

____

5. Alice et Aurélie sont restées à la teuf?

____

6. Paul, sommes-nous rentrés tard?

____

7. Maylis et Fatima, êtes-vous venues avec nous?

____

8. Les enfants d'Antoine sont-ils devenus médecins?

____

Nom et prénom: ______________________ Classe: ______________ Date: ______________

49 Ask questions in the **passé composé** according to the type of question in parentheses.

MODÈLE monter à la Tour Eiffel/les filles (inversion)
Les filles sont-elles montées à la Tour Eiffel?

1. descendre à l'hôtel/Éric, tu (inversion)

____

2. rester en ville/Audrey, tu (est-ce que)

____

3. sortir de la maison hier soir/moi, je (n'est-ce pas)

____

4. rentrer à la maison ce matin/Gene et toi (inversion)

____

5. aller à Chicago le mois dernier/toi et moi (inversion)

____

6. monter à la tour Eiffel/Jerone et Julian (n'est-ce pas)

____

7. arriver au théâtre à l'heure/Rosie et Jessica (est-ce que)

____

8. devenir musicienne/Mlle Langue (inversion)

____

Nom et prénom: ____________________ Classe: ____________ Date: ____________

50 Answer the following questions, using the superlative.

MODÈLE Quelle est la voiture la plus rapide?
La Ferrari est la voiture la plus rapide.

1. Qui a fait les plus belles peintures?

____

2. Quel est l'avion le moins gros?

____

3. Quelle est la plus petite voiture?

____

4. Quel est le moyen de transport le moins cher?

____

5. Quels sont les plus nouveaux trains?

____

6. Quel est le vélo le plus cher?

____

7. Quel est le dessin animé le moins amusant?

____

8. Quel est le musicien le plus riche?

____

Nom et prénom: ______________________ Classe: ______________ Date: ______________

51 Use the following elements to make a sentence in the superlative.

MODÈLE tableau/joli/plus
C'est le plus joli tableau.

1. actrice/célèbre/plus

____

2. élèves/intelligents/plus

____

3. voiture/rapide/moins

____

4. moyen de transport/bon pour voyager/plus

____

5. restaurant/moins/cher

____

6. fille de Paris/belle/plus

____

7. athlètes/jeunes/moins

____

8. bateau/grand/plus

____

9. peintures/célèbre/plus

____

10. site Internet/nouveau/plus

____

Nom et prénom: ______________________ Classe: ______________ Date: ______________

52 Construct sentences in the superlative to describe Versailles.

MODÈLE Versailles/château/plus/grand
Versailles est le plus grand château.

1. la galerie des Glaces/salle/célèbre/plus

____

2. les jardins/endroits/joli/plus

____

3. le hameau de la Reine/village/sale (*dirty*)/moins

____

4. le Grand Trianon/château/formidable/plus

____

5. la chambre du Roi et de la Reine/pièces/riche/plus

____

6. le Petit Trianon/monument/visité/moins

____

7. la chambre du Roi/chambre/grand/moins

____

8. la chambre de la Reine/chambre/charmant/plus

____

Nom et prénom: ______________________ Classe: ______________ Date: ______________

Unité 3: La vie quotidienne

Leçon A

Vocabulaire

1 Write the names of the toiletries represented in the illustrations below.

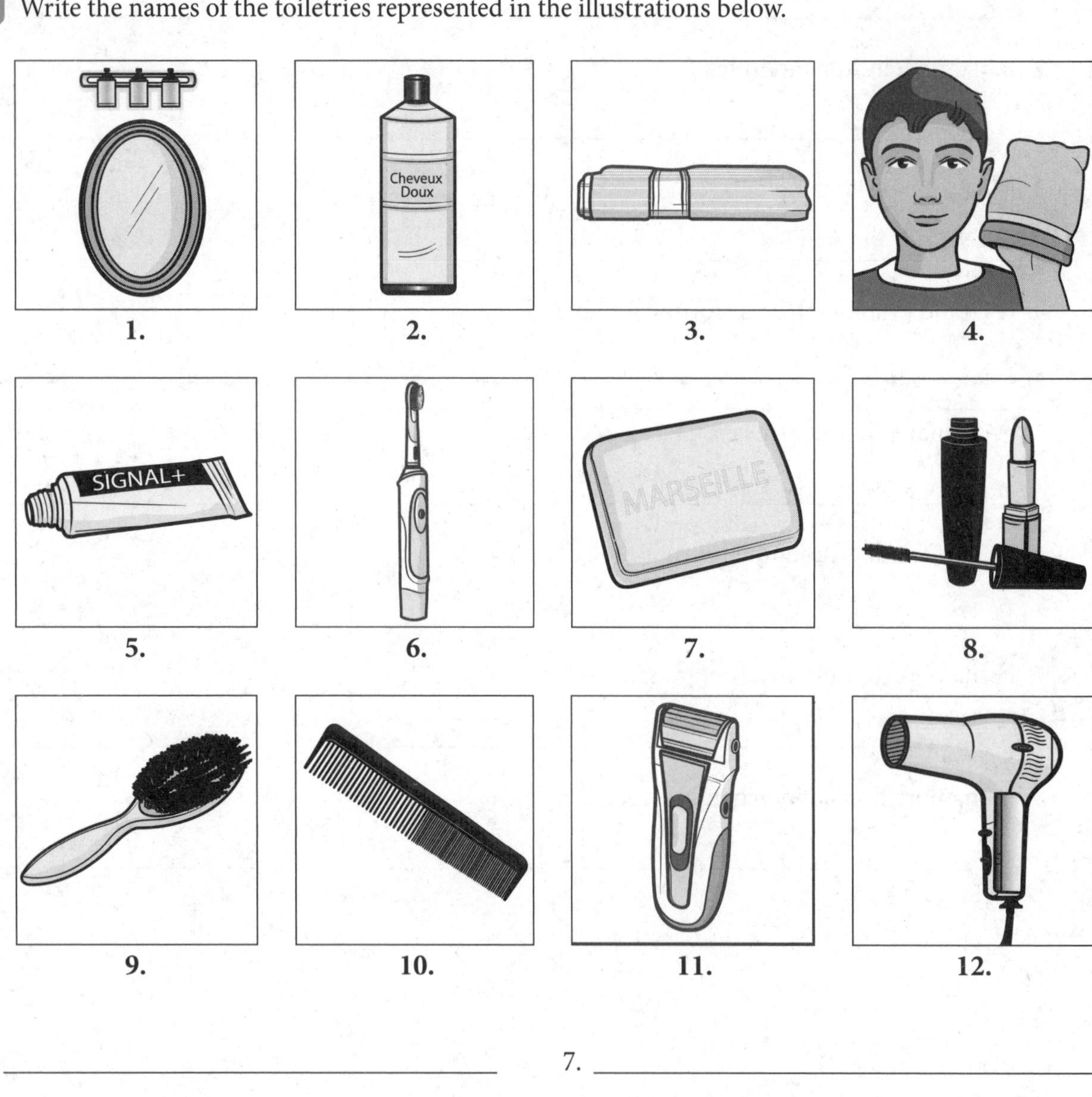

1. ______________________ 7. ______________________

2. ______________________ 8. ______________________

3. ______________________ 9. ______________________

4. ______________________ 10. ______________________

5. ______________________ 11. ______________________

6. ______________________ 12. ______________________

Nom et prénom: ______________________ Classe: ______________ Date: ______________

2 Write toiletry items associated with the following actions. One example has been done for you.

1. se laver: **un gant de toilette,** ____________________
2. se brosser les dents: ____________________
3. se maquiller: ____________________
4. se laver les cheveux: ____________________
5. se peigner: ____________________

3 The following people have specific morning routines. Put the sentences in logical order by numbering the actions 1-4. An example has been done for you.

1. Alexandre adore ses cheveux.

   ______ Il utilise son sèche-cheveux.

   ___**1**___ Il prend du shampooing.

   ______ Il se brosse les cheveux.

   ______ Il se lave les cheveux.

2. Valérie se lave.

   ______ Elle prend une serviette.

   ______ Elle se lave la figure.

   ______ Elle met du savon sur le gant de toilette.

   ______ Elle prend du savon.

3. Fatima va sortir avec ses amis.

   ______ Elle met aussi du mascara.

   ______ Elle choisit un rouge à lèvre.

   ______ Elle se regarde dans la glace.

   ______ Elle se maquille.

4. Abdel-Cader se prépare pour aller à l'école.

   ______ Il se réveille.

   ______ Enfin, il s'habille.

   ______ Il se rase.

   ______ Il se lève.

Nom et prénom: ____________________ Classe: ______________ Date: ______________

4 Fill in the blanks with the correct reflexive verb to complete Badia's routine.

La matinée commence. Je (1) ____________________ à 7h00, mais je (2) ____________________ à 7h15. Tout de suite je vais dans la salle de bains: je (3) ____________________ de la tête aux pieds et je (4) ____________________ les dents. Ensuite, je choisis mes vêtements et je (5) ____________________. Avec le rouge à lèvres et le mascara, je (6) ____________________. Maintenant, mes cheveux: je (7) ____________________ les cheveux, puis j'utilise mon (8) ____________________ - cheveux. Enfin, je (9) ____________________ avec un peigne. Quand j'ai tout fini, je (10) ____________________ dans la glace. Voilà, je suis belle!

5 How would you respond to the following situations? Choose an expression.

Tu m'agaces! Tu traînes! Calme-toi! Je suis presque prêt(e)!

1. Ton petit frère se moque de ton maquillage.

   ____

2. Ta sœur pleure parce qu'elle n'aime pas ses cheveux.

   ____

3. Ton père n'est pas content parce que tu es dans la salle de bains et il a besoin d'entrer.

   ____

4. Tu attends ta camarade de chambre (*roommate*) pour sortir. Elle est dans la salle de bains depuis quarante-cinq minutes.

   ____

Nom et prénom: ______________________ Classe: ______________ Date: ______________

Culture

6 Answer the following questions about Cameroon. Refer to the **Points de départ** in **Leçon A**.

1. Qu'est-ce que l'Amazonie et le Cameroun ont en commun?

____

2. Qu'est-ce que l'histoire des États-Unis et l'histoire du Cameroun ont en commun?

____

3. Quelles sont les langues officielles du Cameroun?

____

4. Qu'est-ce que le Ngondo?

____

7 Do the following activity. Refer to the **Points de départ** in **Leçon A**.

Votre classe organise un échange avec un pays africain de la Francophonie. Vous devez présenter le pays à la classe. Servez-vous des informations que vous connaissez, ou faites des recherches en ligne.

1. nom du pays choisi:

____

2. Donnez une particularité géographique:

____

3. Donnez une caractéristique ethnique:

____

4. Donnez une particularité historique:

____

5. Expliquez une tradition:

____

6. Présentez un produit:

____

7. Présentez un symbole culturel:

____

Nom et prénom: ________________________ Classe: ______________ Date: ______________

Structure

8 Complete the following sentences, using the correct form of the reflexive verbs.

1. Je ____________________________ toujours à 7h00 du matin. (se lever)
2. À quelle heure est-ce que tu ____________________________? (se coucher)
3. Chez moi, on ____________________________ avant de prendre le petit déjeuner. (se laver)
4. Vous ____________________________ dans votre chambre ou dans la salle de bains? (s'habiller)
5. Pierre-Alain ____________________________ très vite pour aller à l'école. (se préparer)
6. Nous ____________________________ quand nous avons le temps. (se raser)
7. Les enfants ____________________________ dans la glace. (se regarder)
8. Je ____________________________ les dents trois fois par jour. (se brosser)
9. Mme Perrin ____________________________ très tôt. (se réveiller)
10. Les enfants ____________________________ avant de mettre leurs pyjamas. (se déshabiller)

9 Rewrite the following sentences in the negative form.

MODÈLE Nous nous brossons les cheveux.
Nous ne nous brossons pas les cheveux.

1. Mireille se lave les cheveux tous les jours.

   ____

2. Les invités se déshabillent avant d'entrer dans la maison.

   ____

3. Ta copine et toi, vous vous reposez avant de faire vos devoirs.

   ____

4. Ma famille et moi, nous nous levons à 6h30 du matin.

   ____

5. Mathéo et Antoine se peignent avant de faire du skate.

   ____

6. Mon grand-père se rase avec du dentifrice.

   ____

10 Answer the following questions, using the correct form of the reflexive verbs.

1. Tu te prépares dans la salle de bains ou dans ta chambre avant de sortir?

____

2. À quelle heure tes parents se réveillent-ils le samedi matin?

____

3. Est-ce que ta mère se maquille tous les jours?

____

4. Est-ce que tes copains se rasent?

____

5. Est-ce que les profs s'habillent bien dans ton lycée?

____

6. Combien de fois par semaine te laves-tu les cheveux?

____

7. En général, tu te peignes ou tu te brosses les cheveux?

____

8. Avec quoi est-ce qu'on se lave la figure?

____

9. Ton oncle et toi, vous vous brossez les dents avec du dentifrice?

____

10. Est-ce que les étudiants entrent dans la classe avec leurs manteaux ou est-ce qu'ils se déshabillent?

____

Nom et prénom: ______________ Classe: ______________ Date: ______________

11 Write the following words in the plural.

1. un cheval ______________
2. un jeu ______________
3. un bateau ______________
4. un autobus ______________
5. un manteau ______________
6. un feu ______________
7. un ananas ______________
8. un château ______________
9. un animal ______________
10. un cadeau ______________

12 Rewrite the following sentences, using the plural. Follow the **modèle**. You might need to change verb or adjective forms too.

MODÈLE Mme Palice a un chapeau bleu.
Mme Palice a des chapeaux bleus.

1. Sébastien aime le cheval de son oncle.

____

2. C'est le bateau qui va de Calais à Londres?

____

3. Vous jouez au jeu vidéo avec moi?

____

4. Ce chien est un bel animal!

____

5. Tu as regardé le nouveau feu d'artifice?

____

6. Ah, cet ananas est très frais!

____

Nom et prénom: ____________________ Classe: ____________ Date: ____________

Leçon B

Vocabulaire

13 Match the terms below to the correct images in the illustration.

A. une machine à laver B. une tondeuse C. un fer à repasser

D. un sèche-linge E. un lave-vaisselle F. un aspirateur

1. ______ 3. ______ 5. ______

2. ______ 4. ______ 6. ______

Nom et prénom: ______________________ Classe: ______________ Date: ______________

14 Say what household item the following people choose according to what they are doing.

MODÈLE M. et Mme Vendon doivent travailler dans le jardin.
Ils choisissent la tondeuse.

1. Gisèle doit laver la vaisselle.

____

2. Les enfants doivent ranger leur chambre.

____

3. Tu dois repasser tes vêtements.

____

4. Moi, je dois sécher le linge.

____

5. Mon frère et moi, on doit laver le linge sale (*dirty*).

____

15 Say what chore you do with the following household items.

MODÈLE un fer à repasser
Je repasse les vêtements.

1. un aspirateur ____
2. les objets dans ma chambre ____
3. la tondeuse ____
4. le lave-vaisselle ____
5. la poubelle ____
6. le fer à repasser ____
7. les plantes ____
8. le sèche-linge ____
9. la lessive ____

Nom et prénom: ______________________ Classe: ______________ Date: ______________

16 Say what chores the following people should do based on each situation.

MODÈLE Maman n'a pas de vêtements propres (*clean*).
Elle doit faire la lessive.

1. Salim ne trouve pas ses affaires dans sa chambre.

____

2. Papa voit trois poubelles dans la cuisine.

____

3. Ton lit n'est pas fait.

____

4. Tes frères disent que la pelouse est trop grande.

____

5. Je choisis une chemise pas repassée.

____

6. Toi et moi, nous voulons manger, mais la vaisselle est dans l'évier.

____

7. Tu attends tes amis mais il y a du popcorn sur la moquette (*carpet*).

____

8. Les plantes de maman ne sont pas belles.

____

Nom et prénom: ______________________ Classe: ______________ Date: ______________

Culture

17 Circle **vrai** if the following statements are true, and **faux** if they are false. Refer to the **Points de départ** in **Leçon B**.

1. La Côte d'Ivoire a une taille comparable au Nouveau Mexique. VRAI FAUX
2. Les Akans sont l'ethnie la plus importante. VRAI FAUX
3. La capitale politique est Abidjan. VRAI FAUX
4. La Côte d'lvoire est une ancienne colonie anglaise. VRAI FAUX
5. La langue officielle reste le français. VRAI FAUX
6. La Côte d'Ivoire est un gros importateur de bois (*wood*). VRAI FAUX
7. Le **coupé-décalé** est un genre musical qui vient de Côte d'Ivoire. VRAI FAUX

18 Answer the following questions about immigration in France. Refer to the **Points de départ** in **Leçon B**.

1. Quelle est la différence entre l'assimilation et l'intégration?

   ____

   ____

2. Donnez un exemple....

   A. d'assimilation ______________________________________

   B. d'intégration ______________________________________

3. Faites des recherches sur les mariages mixtes en France. Quelles difficultés différents groupes (par exemple, Français-Maghrébins et Français-Turques) ont-ils?

   ____

   ____

Nom et prénom: ______________________ Classe: _____________ Date: _____________

Structure

19 You are a secret agent on a surveillance mission at the movie theater. You must report to the headquarters every time someone sits down. Answer the following questions, using the correct form of the verb **s'asseoir**.

MODÈLE Qui s'assied? (un vieil homme)
Un vieil homme s'assied.

1. Qui s'assied? (deux jeunes filles)

____

2. Qui s'assied? (moi)

____

3. Qui s'assied? (le chef de la police municipale)

____

4. Qui s'assied encore? (mon partenaire et moi, nous)

____

5. Qui s'assied? (une ado aux cheveux roux)

____

6. Qui s'assied? (les parents d'un petit garçon)

____

7. Qui s'assied? (la vendeuse du marché)

____

Nom et prénom: ______________________ Classe: ______________ Date: ______________

20 Your teacher is showing a new seating chart for chemistry class. Say where everybody sits.

MODÈLE Jamel et Laurent/Isabelle et Malika
Jamel et Laurent s'asseyent derrière Isabelle et Malika.

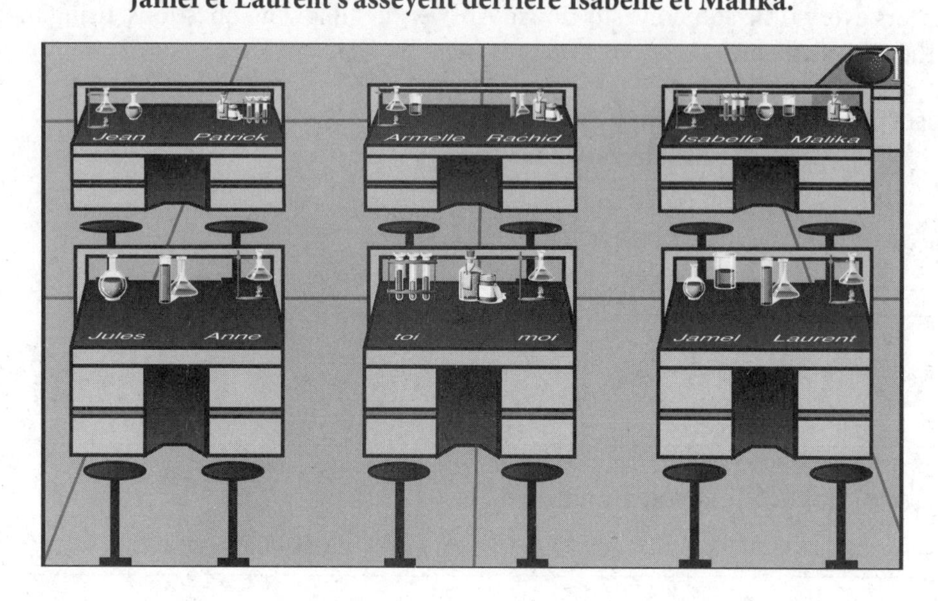

1. toi et moi/Armelle et Rachid

____

2. Jean/Jules

____

3. toi et Anne/Jules

____

4. moi et Jamel/Laurent

____

5. toi et moi/Jamel et Laurent

____

6. Jean et Patrick/Jules et Anne

____

7. moi/Rachid

____

8. toi/Armelle

____

Nom et prénom: ______________________ Classe: ______________ Date: ______________

21 You are babysitting your six year old nephew who needs help getting ready. Tell him to do the following things.

MODÈLE s'asseoir: **Assieds-toi!**

1. se réveiller: ____________________
2. se lever: ____________________
3. se laver la figure: ____________________
4. se brosser les dents: ____________________
5. se peigner: ____________________
6. s'habiller: ____________________
7. se préparer: ____________________
8. se regarder dans la glace: ____________________

22 Now, you are babysitting your four year old niece who is very naughty. Tell her not to do the following things.

MODÈLE s'asseoir: **Ne t'assieds pas!**

1. se maquiller: ____________________
2. se déshabiller dans la cuisine: ____________________
3. se raser: ____________________
4. se lever sur la chaise: ____________________
5. se laver les mains avec le dentifrice:

   ____
6. se coucher sur la table: ____________________
7. se reposer sur le tapis: ____________________
8. se brosser les dents avec la brosse à cheveux:

   ____

Nom et prénom: ______________________ Classe: ______________ Date: ______________

23 M. Poitier is giving instructions to his French students. Write commands, following the **modèles**.

MODÈLES se lever (vous)
Levez-vous!

se reposer (nous, ne ... pas)
Ne nous reposons pas!

1. se dépêcher (vous)

____

2. s'asseoir (tu)

____

3. se maquiller (tu, ne ... pas)

____

4. se disputer (vous, ne ... pas)

____

5. se regarder (nous, ne ... pas)

____

6. se réveiller (vous)

____

7. se brosser les cheveux (tu, ne ... pas)

____

8. se rendre à l'école avant 8h00 (vous, ne ... pas)

____

Nom et prénom: ________________________ Classe: _______________ Date: _______________

24 Your father is giving you and your siblings chores for the weekend. Write the following sentences, using the cues given. Follow the **modèles**.

MODÈLES faire la vaisselle (toi et ta sœur)
Faites la vaisselle!

se promener au parc (ton frère, ne ... pas)
Ne te promène pas au parc!

1. sortir la poubelle (ta sœur, ne ... pas)

____

2. tondre la pelouse (ta sœur)

____

3. se reposer pendant trois heures (toi et ta sœur, ne ... pas)

____

4. passer l'aspirateur (ton frère, ne ... pas)

____

5. se brosser les dents (toi et ton frère)

____

6. arroser les plantes (toi)

____

7. s'amuser (toi, ton frère et ta sœur)

____

8. se moquer de ton petit frère (toi, ne ... pas)

____

Nom et prénom: ______________________ Classe: _____________ Date: ______________

Leçon C
Vocabulaire

25 Match the verbs in the left column with their synonyms in the right column. Two verbs will have the same answer.

1. se rendre	A. être d'accord
2. se retrouver	B. avoir des souvenirs (*memories*)
3. se disputer	C. continuer
4. se détendre	D. aller vite
5. se souvenir	E. jouer
6. s'entendre	F. aller
7. s'amuser	G. voir ses amis
8. se rappeler	H. être en désaccord
9. se remettre	I. se reposer
10. se dépêcher	J. dire bonjour
11. se rencontrer	

26 Complete the following sentences with the correct form of the following verbs.

vous amuser	me repose	se dépêche	se retrouver	vous entendez
se dispute	me remets	se rappelle	se préparent	

Je n'ai pas envie de travailler, alors je (1) ________________________ devant la télé.

Maman n'est pas contente, on (2) ________________________ quand papa arrive.

Il (3) ________________________ parce qu'il a rendez-vous avec des amis. Maman (4) ________________________ du rendez-vous. Ils vont (5) ________________________ à 8h00 à la Brasserie Paul. Moi, je (6) ________________________ à mon émission télévisée pendant que mes parents (7) ________________________. Je dis à maman: "Je suis sûre que vous allez (8) ________________________ ce soir!" Papa dit: "Ça y est, vous (9) ________________________ maintenant?"

Nom et prénom: ______________________ Classe: ______________ Date: ______________

27 Rewrite the verbs in the following sentences, using reflexive verbs.

MODÈLE Ils regardent un album de photos de leur voyage en Provence.
Ils se souviennent de leur voyage en Provence.

1. La petite fille joue dans le jardin.

 ____

2. Albert et Paula disent "bonjour."

 ____

3. On a rendez-vous devant le cinéma.

 ____

4. Je regarde la télé dans le salon.

 ____

5. Tu vas vite pour aller à l'aéroport.

 ____

6. Nous ne sommes pas d'accord.

 ____

28 Answer the following questions.

1. Avec qui est-ce que tu t'entends bien?

 ____

2. Tes parents se souviennent de ta naissance (*birth*)?

 ____

3. Dans ta famille, qui se dépêche pour se préparer le matin?

 ____

4. Toi et ta famille, que faites-vous pour vous détendre?

 ____

5. Quand tu as rendez-vous avec un ami, où vous retrouvez-vous?

 ____

Nom et prénom: ______________________ Classe: ______________ Date: ______________

Culture

29 Give an example for each of the following categories in relation to Senegal. Refer to the **Points de départ** in **Leçon C**.

1. un des pères fondateurs de la Francophonie

____

____

2. une personnalité symbole du Sénégal

____

____

3. un lieu ou une ville

____

____

4. une personnalité artistique

____

____

5. une grande langue parlée

____

____

6. l'influence sur la mode occidentale

____

____

7. une pratique artistique singulière

____

____

Nom et prénom: ______________________ Classe: ______________ Date: ______________

30 Associate the following products with their corresponding artists. Refer to the **Points de départ** in **Leçon C**. You may need to do additional research.

1. le m'balax: ______________________
2. *Yéké, Yéké*: ______________________
3. *Le lion rouge*: ______________________
4. *Eyes open*: ______________________
5. *Le ventre de l'Atlantique*: ______________________

Structure

31 Choose the correct verb form that corresponds to each past participle.

Il s'est　　Elle s'est　　Ils se sont　　Elles se sont

1. ______________________ regardée dans la glace.
2. ______________________ couché avant la fin (*end*) de l'émission.
3. ______________________ retrouvés derrière l'école.
4. ______________________ rasé à l'aéroport.
5. ______________________ dépêchées pour ne pas être en retard.
6. ______________________ rappelée de la date de notre anniversaire de mariage.
7. ______________________ rencontrés un matin d'hiver, dans le Quartier latin.
8. ______________________ réveillée avant son frère ce matin.

Nom et prénom: ______________________ Classe: ______________ Date: ______________

32 Complete the following sentences with the appropriate form of the verb in the **passé composé**.

MODÈLE Mélanie **s'est levée** à midi aujourd'hui! (se lever)

1. Daniel, tu ________________________________ tard hier soir? (se coucher)
2. Ma petite sœur ________________________________ dans la cuisine! (se laver)
3. Bon, les enfants ________________________________ les mains? (se laver)
4. Hier, Charles et moi, nous ________________________________ au cinéma avec plusieurs copines. (se retrouver)
5. Les amies de ma mère ________________________________ pour le théâtre! (s'habiller)
6. M. et Mme Lamour, vous ________________________________ en quelle année? (se rencontrer)
7. M. Lacteur, vous ________________________________ ce matin. (se dépêcher)

33 Write a logical follow-up to these sentences, using the verbs below in the **passé composé**.

se disputer, se rencontrer, s'entendre, s'amuser, se rendre, se dépêcher, se retrouver, se rappeler, s'asseoir

MODÈLE Mme Dumas est montée dans le bus fatiguée.
Elle s'est assise dans le bus.

1. Daniel a voulu voir un film à la séance de minuit.

____

2. Mes amis ont beaucoup ri au parc d'attractions.

____

3. La prof et moi, nous avons été d'accord sur le projet.

____

4. Maman, tu as encore retrouvé Mme Perrin au centre commercial.

____

5. Jamila et Érica n'ont pas été d'accord dans la cour de l'école.

____

Nom et prénom: ______________________ Classe: _____________ Date: _____________

34 Conclude what the following people did today according to the clues provided. Use a reflexive verb and the **passé composé**.

MODÈLE Assane a deux billets de foot.
Il s'est rendu au stade.

1. La petite cousine de Johnny a une bouteille de shampooing.

____

2. Mes frères jumeaux (*twin*) ont un peigne.

____

3. L'oncle de Rachel a un rasoir.

____

4. Amira et Jean-Paul ont leur panier (*shopping basket*) du marché et leurs numéros de téléphone réciproques (*reciprocal*).

____

5. Je suis désolée, je suis en retard.

____

6. Francis, tu as un gant de toilette et du savon.

____

7. Mes meilleures amies ont du mascara.

____

8. Mon frère et son meilleur ami ont leur téléphone et ne sont pas contents.

____

Nom et prénom: _______________ Classe: _______________ Date: _______________

35 As chief inspector of the **Police de Bordeaux**, you are investigating the homicide of a famous American entertainer before his show on Thursday night. Two suspects have been arrested: Racine, a young male French designer, and Tiziana, a female Italian reporter. Prepare a list of eight questions to ask each of them about what they did that day. Use the **passé composé** and a minimum of four reflexive verbs.

MODÈLE à Racine
Tu t'es rasé avant d'aller au bureau?

à Tiziana
Tu t'es rasée avant d'aller au bureau?

à Racine

1. _______________
2. _______________
3. _______________
4. _______________
5. _______________
6. _______________
7. _______________
8. _______________

à Tiziana

1. _______________
2. _______________
3. _______________
4. _______________
5. _______________
6. _______________
7. _______________
8. _______________

Nom et prénom: ______________________ Classe: ______________ Date: ______________

Unité 4: Autrefois

Leçon A

Vocabulaire

1 Write the name of each animal in the illustration.

A. ______________________________

B. ______________________________

C. ______________________________

D. ______________________________

E. ______________________________

F. ______________________________

G. ______________________________

Nom et prénom: ______________________ Classe: ______________ Date: ______________

2 Write the sound each animal makes below in the correct speech bubble.

béé béé	groink groink	glou glou	groin groin
bééé	cocorico	cot cot cot	coin coin

3 Circle the word that does not belong with the others.

1. un champ, un mouton, une chèvre
2. un cochon, un dindon, un canard
3. un lapin, un cheval, une grange
4. une vache, un cheval, un coq
5. une ferme, une poule, une grange
6. une poule, un canard, une vache
7. un cheval, un mouton, une fermière
8. un champ, une ferme, un cochon
9. un fermier, une chèvre, une fermière
10. un mouton, une chèvre, un lapin

Nom et prénom: ______________________ Classe: ______________ Date: ______________

4 Complete the following paragraph with the appropriate infinitives.

traire	faire la vaisselle	s'amuser	habiter
travailler	nettoyer	faire	nourrir

Mon grand-père habite dans une ferme, à la campagne. Il faut

(1) ________________________ du matin au soir. On se lève tôt pour

(2) ________________________ les vaches. Il faut ensuite

(3) ________________________ les animaux. On doit (4) ________________________

après tous les repas. Et on doit aussi (5) ________________________ la grange.

Il y a peu de possibilités pour (6) ________________________. On peut

(7) ________________________ du cheval ou faire un tour à vélo. Personnellement, je préfère

(8) ________________________ en ville.

Nom et prénom: ____________________ Classe: ______________ Date: ______________

5 Say what the following people are doing according to the illustrations.

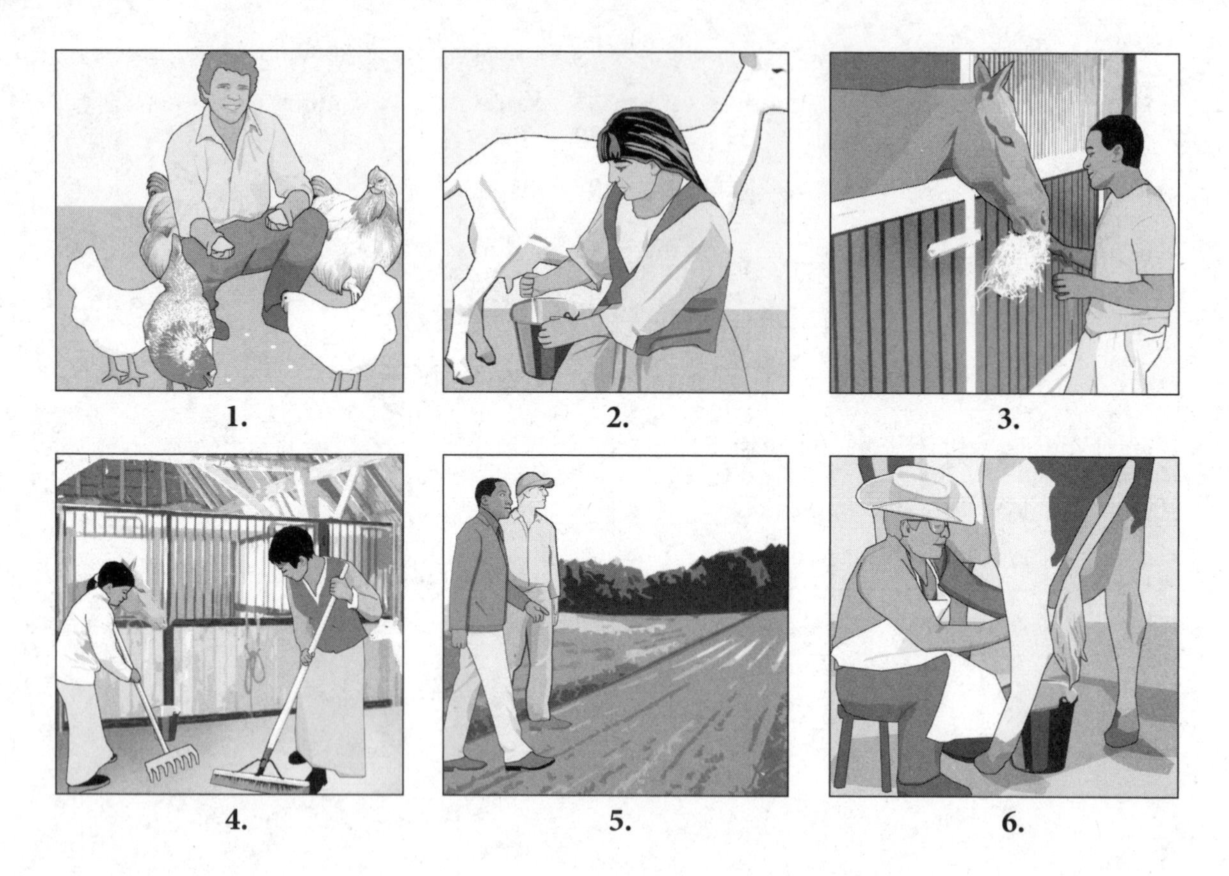

1. ____

____

2. ____

____

3. ____

____

4. ____

____

5. ____

____

6. ____

____

Nom et prénom: ______________ Classe: ______________ Date: ______________

6 Write five sentences describing what farmers do. Use vocabulary from **Leçon A**.

1. ______________
2. ______________
3. ______________
4. ______________
5. ______________

Culture

7 Answer the following questions according to the **Points de départ** in **Leçon A**.

1. Quelle est la grande particularité de l'agriculture française?

____

2. Quels sont les principaux produits agricoles exportateurs en France?

____

3. Quels changements se sont produits chez les agriculteurs?

____

4. Les fermiers ont-ils beaucoup de vacances?

____

5. Est-ce que l'industrie agricole se passe de père en fils?

____

____

8 Do the following activity based on p.193 in your textbook. You may do additional research online.

Vous préparez une visite d'une journée au Salon de l'agriculture à l'occasion de votre séjour en France.

1. Imaginez un itinéraire: ____

____

2. Faites une présentation des différentes sections du salon:

A. élevage: ____

____

B. jardins et potagers: ____

____

C. produits des régions et d'outre-mer: ____

____

D. métiers de l'agriculture: ____

____

Structure

9 Write the letters of all subjects from the right column that match the form of the verbs in the **imparfait** in the left column.

1. allait ______________	A. je/j'
2. avaient ______________	B. tu
3. étiez ______________	C. Patrick
4. étais ______________	D. Chadia
5. allais ______________	E. on
6. faisions ______________	F. nous
7. mettait ______________	G. vous
8. allaient ______________	H. M. et Mme Meunier

Nom et prénom: ______________________ Classe: ______________ Date: ______________

10 Write the correct form of the verb in the **imparfait** in the sentences below. Follow the **modèle**.

MODÈLE À quelle heure est-ce que vous **arriviez** à l'école? (arriver)

1. Où est-ce que vous ______________________ quand vous habitiez à la campagne? (aller)
2. Est-ce que tu ______________________ les animaux sauvages? (aimer)
3. Est-ce que ta grand-mère ______________________ de la ferme quand tu mangeais chez elle? (parler)
4. Est-ce que les fermiers ______________________ leur travail tôt? (finir)
5. Mon oncle Norbert et moi ______________________ la grange tous les soirs. (nettoyer)
6. Pourquoi les enfants ______________________ plus avant que maintenant? (s'amuser)
7. Moi, je n'______________________ pas en vacances pendant l'été. (aller)
8. Est-ce que tu ______________________ beaucoup d'amis? (avoir)

11 Write the correct form of the verb in the **imparfait** in the sentences below to describe what the following people were doing on Christmas Eve.

1. C'______________________ samedi soir, la veille de Noël (*Christmas Eve*). (être)
2. Amélie et Koffi ______________________ leur anniversaire de mariage. (fêter)
3. Alexis ______________________ l'exposition des Impressionnistes au musée d'Orsay. (visiter)
4. Sabrina et moi, nous ______________________ du cheval sur la plage. (faire)
5. Nayah et toi, vous ______________________ de nouveaux vêtements au Printemps. (acheter)
6. Maurice et Lamine ______________________ avec des jeux vidéo. (se détendre)
7. Tu ______________________ un coup de téléphone de ta copine béninoise. (attendre)
8. Moi, j'______________________ besoin de faire les courses. (avoir)

Nom et prénom: ______________________ Classe: ______________ Date: ______________

12 Complete the paragraph with the correct form of the verb in the **imparfait** to show how life used to be for the family described below.

avoir	se lever	envoyer	s'occuper
être	falloir	aller	

Quand nous (1) ______________________ dix ans, mes parents (2) ______________________ de trois chevaux. Nous (3) ______________________ très tôt le matin pour les nourrir. Quelquefois, on (4) ______________________ à l'école en retard parce qu'il (5) ______________________ attendre mon père. Mes parents (6) ______________________ sympa; le weekend, on (7) ______________________ des photos à mes grands-parents. Nous (8) ______________________ une famille heureuse.

13 Form questions in the **imparfait** with the following elements. Follow the **modèle**.

MODÈLE où/tu/étudier/quand tu/être jeune
Où est-ce que tu étudiais quand tu étais jeune?

1. pourquoi/ton père/travailler/quand tu/être en vacances?

____

2. quelle veste/ton cousin et toi, vous/préférer/quand vous/avoir dix ans?

____

3. qu'est-ce que/on/manger/quand on/avoir faim?

____

4. est-ce que vous/nettoyer la grange/quand vous/rendre visite aux fermiers?

____

5. comment/tu/circuler en ville/quand tu/habiter à Paris?

____

6. à quelle heure/nous/se réveiller/quand grand-père et grand-mère/être là?

____

Nom et prénom: ______________________ Classe: ______________ Date: ______________

14 Your friend Marc-Antoine from France wants to know about your childhood. Answer his questions, using the **imparfait**.

1. Quels sports est-ce que tu faisais quand tu étais petit?

   ____

2. Ta famille et toi, où est-ce que vous habitiez?

   ____

3. Avec qui est-ce que ta sœur s'amusait le weekend?

   ____

4. Où est-ce que vous alliez en vacances pendant l'été?

   ____

5. À quelle heure est-ce que tu te réveillais le weekend?

   ____

6. Combien de fois par semaine est-ce que ta famille mangeait au restaurant?

   ____

15 Write the correct form of the verb **croire** to complete the sentences below.

MODÈLE Tu **crois** que c'est une vieille maison?

1. Vous ________________ qu'il va venir?
2. En France, on ________________ que l'éducation est très importante.
3. Moi, je ne ________________ pas au père Noël.
4. Mon copain et moi, nous ________________ que l'industrie agricole va prospérer.
5. Tu ________________ qu'il va téléphoner avant onze heures?
6. Mes parents ________________ qu'on va être en retard si on passe au café.
7. Aïcha ________________ que les études de médecine sont intéressantes.
8. Vous ________________ que l'avenir va être plus facile ou plus difficile pour les jeunes?

Nom et prénom: ______________________ Classe: ______________ Date: ______________

16 Answer the following questions using the verb **croire**.

1. Crois-tu que la vie était meilleure dans le passé?

   ____

2. Tes grands-parents croient-ils que les jeunes d'aujourd'hui sont paresseux?

   ____

3. Ta famille et toi, croyez-vous qu'on s'occupait mieux des animaux avant?

   ____

4. Est-ce que tu crois qu'il est difficile de traire des vaches?

   ____

5. Ton meilleur ami croit-il que la vie à la campagne est fatigante (*tiring*)?

   ____

6. Aux États-Unis, est-ce qu'on croit que la production agricole est essentielle à l'économie?

   ____

7. Crois-tu que les moutons sont beaux?

   ____

8. Toi et tes amis, croyez-vous que vos parents avaient une vie plus facile que la vôtre (*yours*)?

   ____

Nom et prénom: ____________ Classe: ________ Date: ________

17 Say what the following people believe, using the verb **croire** and elements of comparison. Follow the **modèle**.

MODÈLE études/sport/important (moi, +)
Je crois que les études sont plus importantes que le sport.

1. histoire/géographie/intéressant (Raphaël, +)

____

2. pollution/économie/important (Sonia, –)

____

3. le prof de langues/la prof de sciences physiques/strict (les élèves, =)

____

4. Aïcha/Karim/drôle (toi et moi, –)

____

5. les mathématiques/la biologie/difficile (Nathalie et toi, +)

____

6. les films comiques/les films d'aventure/intéressants (toi, –)

____

7. éducation/musique/important (mon père, +)

____

8. Saïd Taghmaoui/Hugo Becker/beau (mes amies, +)

____

Nom et prénom: ______________ Classe: ______________ Date: ______________

Leçon B
Vocabulaire

18 Name the profession of the following people in the illustrations.

MODÈLE  **C'est une boulangère.**

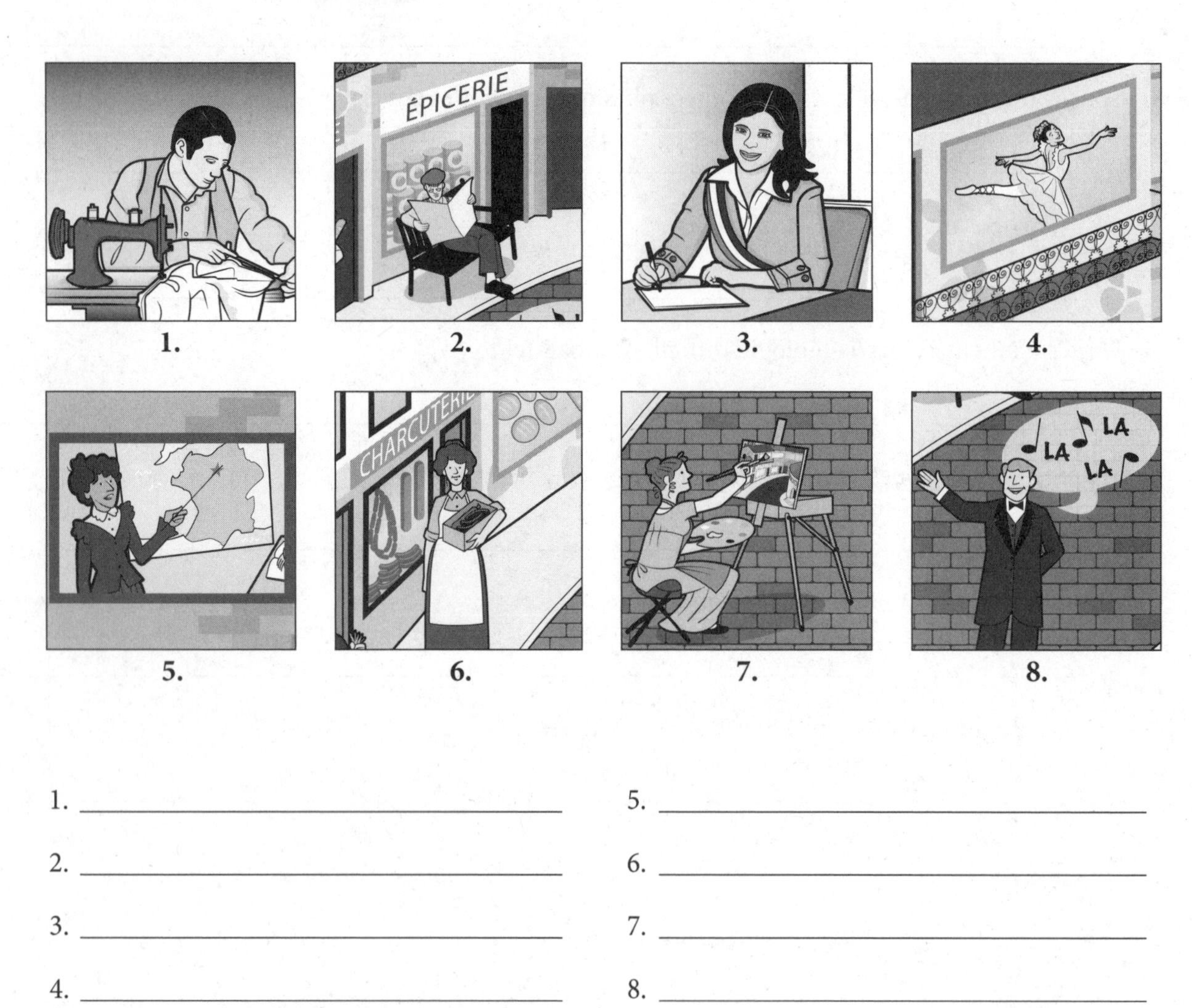

1. ______________
2. ______________
3. ______________
4. ______________
5. ______________
6. ______________
7. ______________
8. ______________

Nom et prénom: ______________________ Classe: ______________ Date: ______________

19 Match the professions in the left column with the objects or places in the right column.

1. le tailleur	A. l'école
2. le boulanger	B. la viande (*meat*)
3. le charcutier	C. le pain
4. le peintre	D. le ballet
5. le maire	E. une chanson
6. l'institutrice	F. un tableau
7. l'épicier	G. les fruits et les bonbons
8. la chansonnière	H. la mairie
9. la danseuse	I. les vêtements

20 Guess the professions of the following people according to the clues.

MODÈLE Monsieur Perrin a un beau costume avec les couleurs bleu, blanc, rouge. Il travaille à la mairie.
Monsieur Perrin est maire.

1. Mme Potelet vend du pain et des croissants.

____

2. Les frères Grenaud ont un petit magasin où ils vendent de tout.

____

3. Ma mère a 53 ans. Elle va à l'école tous les jours.

____

4. Mon amie Lætícia dessine et crée de jolis vêtements à la mode.

____

5. Gaïtan a un gros couteau dans la main et un morceau de porc sur la table.

____

6. M. et Mme Lebond apprennent le tango à mes parents.

____

Nom et prénom: ______________________ Classe: ______________ Date: ______________

21 Answer the following questions, paying attention to the tense. Follow the **modèles**.

MODÈLES D'habitude, est-ce que ta famille allait chez l'épicier pendant la semaine?
Oui, d'habitude, ma famille allait chez l'épicier pendant la semaine.

Est-ce que ton père est tailleur?
Non, mon père n'est pas tailleur.

1. Tes amis connaissent-ils le maire de ta ville?

____

2. Quand tu étais petit, est-ce que tu aimais ton instituteur ou ton institutrice?

____

3. Dans ton quartier, est-ce qu'il y a un boucher?

____

4. Est-ce que tu voudrais être peintre?

____

5. À ton avis, à quelle heure se réveille un boulanger?

____

6. Est-ce que ton grand-père ou ta grand-mère connaissait un chansonnier?

____

7. Est-ce que les enfants de ton quartier se retrouvent chez le boulanger pour acheter des bonbons?

____

____

8. À quoi ressemblait la ville où habitaient tes parents quand ils étaient jeunes?

____

Nom et prénom: ______________________ Classe: ______________ Date: ______________

Culture

22 Answer the following questions about Montmartre according to the **Points de départ** in **Leçon B**.

1. Quel monument célèbre est situé à Montmartre?

   ____

2. Quelle comédie française a été filmée à Montmartre?

   ____

3. Quels éléments sont particuliers au quartier de Montmartre?

   ____

4. Quel peintre impressionniste du XIXème siècle a vécu (*lived*) à Montmartre du temps de (*at the same time as*) Picasso?

   ____

5. Qu'est-ce que le funiculaire?

   ____

6. Quels genres de personnes fréquentent Montmartre?

   ____

7. Quelles sortes de petits commerces y a-t-il à Montmartre?

   ____

   ____

Nom et prénom: ______________________ Classe: ______________ Date: ______________

23 Do the following activity according to the **Points de départ** in **Leçon B**. You may do additional research online.

Vous préparez le programme d'un mini-festival de films sur "Le cinéma et Montmartre". Trouvez des informations sur les films suivants et écrivez un pitch pour chacun des films.

1. *Les 400 Coups*

____

____

2. *Moulin Rouge* (1952)

____

____

3. *French Cancan*

____

____

4. *An American in Paris*

____

____

5. *Moulin Rouge!* (2001)

____

____

6. *Midnight in Paris*

____

____

Nom et prénom: ______________________ Classe: ______________ Date: ______________

Structure

24 Say how long people have been doing the following things, using the **passé composé** and **il y a**.

MODÈLE je/finir mes devoirs/vingt minutes
J'ai fini mes devoirs il y a vingt minutes.

1. Maman/téléphoner/deux heures

____

2. elle/prendre des côtes de bœuf chez le charcutier/trois heures

____

3. le tailleur/finir le costume de papa/deux jours

____

4. les habitants/manifester contre le maire/une semaine

____

5. il/y avoir une grande fête à l'école/un mois

____

6. nous/sortir à la brasserie avec Paul/quinze jours

____

7. tu/suivre des cours de danse/un an?

____

8. Toulouse-Lautrec/décider de devenir peintre/plus de deux cents ans

____

Nom et prénom: ________________________ Classe: ______________ Date: _______________

25 Answer the following questions in the **imparfait**, using **il y a** and a time expression.

MODÈLE Où habitais-tu il y a un an?
J'habitais à Chicago.

1. Où allais-tu à l'école il y a un an?

____

2. Quels genres de sports aimais-tu il y a un an?

____

3. Quel âge avais-tu il y a six ans?

____

4. À quoi est-ce que tu pensais il y a une heure?

____

5. Est-ce que tu aimais un garçon ou une fille il y a un an?

____

6. Où travaillaient tes parents il y a dix ans?

____

7. Quels vêtements portais-tu il y a un jour?

____

Nom et prénom: ______________________ Classe: ______________ Date: ______________

26 Say what people were doing when the weather changed. Follow the **modèle**.

MODÈLE Michel/jouer au foot/quand il a commencé à pleuvoir
Michel jouait au foot quand il a commencé à pleuvoir.

1. on/écouter de la musique dans le parc/quand il a commencé à pleuvoir

____

____

2. les enfants/porter une veste d'automne/quand il a commencé à neiger

____

____

3. Sandrine et moi/nager dans l'océan/quand il a commencé à pleuvoir

____

____

4. je/faire une promenade/quand il a commencé à faire mauvais

____

____

5. André et toi/écrire des cartes postales à la terrasse du café/quand il a commencé à faire du vent

____

____

6. M. et Mme Cader/être à la piscine/quand il a commencé à pleuvoir

____

____

7. tu/jouer aux jeux vidéo/quand il a commencé à faire beau

____

____

8. toi et moi/faire du cheval à la campagne/quand il a commencé à pleuvoir

____

____

Nom et prénom: ______________________ Classe: ______________ Date: ______________

27 Decide which part of the following sentence should be in the **imparfait**, and which in the **passé composé**.

MODÈLE Quand nous **regardions** notre émission préférée, mon ami Jacques **a téléphoné**.

1. Quand papa __________________ (conduire), il __________________ (avoir) un accident.
2. Quand Michel __________________ (avoir) quinze ans, il __________________ (monter) dans un avion.
3. Nous __________________ (être) en cours de maths quand tu __________________ (avoir) faim.
4. Quand maman __________________ (rentrer) du travail, elle __________________ (être) très contente.
5. La boulangère __________________ (fermer) sa boutique quand elle__________________ (voir) d'autres clients.
6. Émile Delherbe __________________ (devenir) un grand poète quand il

   __________________ (avoir) quarante-sept ans.
7. Quand Jeanne __________________ (faire) du ski, elle __________________ (rencontrer) un gros chien.
8. Quand la prof __________________ (arriver), les élèves __________________ (faire) leurs devoirs.

28 Complete soccer player Zinédine Zidane's autobiography by conjugating the verb in the **imparfait** or the **passé composé**.

Je/J' (passer) (1) __________________ mon enfance à Marseille dans le sud de la France. Mes parents (venir) (2) __________________ d'une famille d'immigrés algériens. J'(aimer) (3) __________________ beaucoup jouer au football dans la Cité, alors mon père (décider) (4) __________________ de m'inscrire au club. Je ne/n' (travailler) (5) __________________ pas très bien à l'école et je/j' (préférer) (6) __________________ jouer au football avec mes copains du club. J'(être) (7) __________________ très doué. Je/J' (rencontrer) (8) __________________ un entraîneur (*coach*) professionnel. Je/J' (entrer) (9) __________________ au club de formation à Cannes. J'(être) (10) __________________ très triste de quitter mes parents quand ma carrière professionnelle (commencer) (11) __________________. J'(avoir) (12) __________________ dix-sept ans.

Nom et prénom: ______________________ Classe: ______________ Date: ______________

29 Complete the following sentences by conjugating the verb in the **imparfait** or the **passé composé**.

MODÈLE Quand ils (partir) **sont partis** en vacances, ils (ne pas être) **n'étaient pas** sur la bonne route.

1. Matteo (vouloir) ____________________ aller en Italie et Noémie (préférer) ____________________ aller sur la Côte d'Azur.
2. Quand Noémie (dire) ____________________ qu'elle (avoir) ____________________ vraiment envie d'aller sur la Côte d'Azur, Matteo (ne pas être) ____________________ content.
3. Ils (conduire) ____________________ en direction de la Côte d'Azur quand on (inviter) ____________________ Matteo à travailler au Québec.
4. Matteo (être) ____________________ heureux quand il (parler) ____________________ à Noémie.
5. C'(être) ____________________ un rêve (*dream*) pour Noémie d'avoir l'opportunité de visiter le Québec. Elle (chercher) ____________________ des billets d'avion pour Montréal.
6. Quand elle (trouver) ____________________ des billets pas chers, Matteo (être) ____________________ très heureux; il (vouloir) ____________________ vraiment faire ce voyage avec Noémie.
7. Quand ses copains (apprendre) ____________________ que Noémie et Matteo (partir) ____________________ au Québec, ils (être) ____________________ très tristes.

Nom et prénom: ______________________ Classe: ______________ Date: ______________

Leçon C
Vocabulaire

30 Write the expression that fits each definition.

une université	une faculté	la cité universitaire
le resto-U	un étudiant	une étudiante

1. C'est un endroit où on fait ses études après le lycée. ______________________
2. C'est un jeune homme qui étudie à l'université. ______________________
3. C'est là où on mange entre les cours de la fac. ______________________
4. C'est une jeune fille qui fait des études à l'université. ______________________
5. C'est un endroit où on apprend un ensemble de disciplines, comme les sciences. ______________________
6. C'est un endroit où on habite quand on va à la fac. ______________________

31 Write an infinitive that logically completes the phrase.

1. ______________________ à l'université de Toulouse
2. ______________________ en sciences médicales
3. ______________________ étudiant à l'université
4. ______________________ à la faculté de droits
5. ______________________ à la cité universitaire
6. ______________________ au resto-U

Nom et prénom: ______________________ Classe: ______________ Date: ______________

32 Imagine that your best friend is studying at college and living in a dorm. Ask him or her questions about his or her life. Follow the **modèles**.

MODÈLES Non, je ne me spécialise pas en langues.
Est-ce que tu te spécialises en langues?

Oui, mon frère Albert se spécialise en économie.
Ton frère Albert se spécialise-t-il en économie?

1. Oui, mon grand-frère s'inscrit à l'université de Nice.

____

2. Non, nous n'habitons plus à la cité universitaire.

____

3. Non, mes amis ne vont pas à la même université que moi.

____

4. Oui, je me spécialise en sciences sociales cette année.

____

5. Non, Marc et moi, nous ne nous spécialisons pas en études de théâtre l'année prochaine.

____

6. Oui, on étudie les sciences politiques à la faculté des sciences-politiques.

____

7. Non, les étudiants ne mangent pas au resto-U le dimanche.

____

8. Oui, mes amis et moi aimons habiter à la cité universitaire.

____

9. Non, on n'étudie pas la médecine à la faculté des langues.

____

Nom et prénom: ________________ Classe: ____________ Date: ____________

33 Make suggestions with **si**. Follow the **modèle**.

MODÈLE prendre une pizza
Et si on prenait une pizza?

1. télécharger nos chansons préférées

____

2. nourrir les lapins

____

3. visiter Versailles

____

4. aider grand-mère

____

5. nettoyer la piscine

____

6. finir de regarder le film

____

7. aller au café

____

8. préparer le repas ce soir

____

Nom et prénom: ______________________ Classe: ______________ Date: ______________

34 Based on what you know about the following people, make suggestions as to what they should do when they go to college.

MODÈLE Abdel veut étudier à l'université. Il adore les langues.
Et s'il étudiait à la faculté des langues?

1. Nous voulons habiter près de l'université.

   ____

2. Tu veux continuer tes études après le bac.

   ____

3. Delphine et Farida veulent étudier les lettres modernes.

   ____

4. John et Deshaun veulent manger près de l'université.

   ____

5. Alex veut étudier aux États-Unis, en Californie.

   ____

6. Ma cousine veut s'inscrire à l'université. Elle habite à Saint-Étienne.

   ____

7. J'habite à Lyon et c'est très cher de louer un appartement pour aller à l'université.

   ____

8. Alvin et Théodore aiment les sciences.

   ____

Nom et prénom: ______________________ Classe: ______________ Date: ______________

Culture

35 Find the following information about demonstrations in France. Refer to the **Points de départ** in **Leçon C**.

1. une manifestation révolutionnaire

____

2. une manifestation politique

____

3. une manifestation pour le progrès social

____

4. une manifestation étudiante

____

5. une manifestation sur le libre choix des études

____

6. une manifestation contre le changement social

____

36 Answer the following questions. Refer to the **Points de départ** in **Leçon C**.

1. Comment Mai 1968 a-t-il profondément changé la société française?

____

____

____

2. Est-ce que l'utopie de Mai 1968 dure toujours?

____

____

____

Continued on next page

3. Pourquoi l'Université de Paris-Vincennes est-elle une anti-Sorbonne?

____

____

____

4. Citez trois nouvelles disciplines proposées par l'université de Vincennes.

____

____

____

Structure

37 Use the following elements and **si + imparfait** to express a wish.

MODÈLE (habiter à Paris) tu
Si tu habitais à Paris!

1. (avoir plus d'amis) on

____

2. (avoir de l'argent) je

____

3. (dire bonjour) elle

____

4. (faire beau) il

____

5. (téléphoner) Marie-Ange

____

6. (vouloir sortir avec moi) Nicolas

____

7. (ne pas être fatigué) je

____

8. (pouvoir venir) elles

____

Nom et prénom: ________________________ Classe: ______________ Date: ______________

38 Use the following elements to express a suggestion with **si + imparfait**.

MODÈLE (étudier ensemble) on
Si on étudiait ensemble?

1. (partir au Québec avec ton mari) tu

____

2. (aller manger au restaurant) Pierre et toi

____

3. (prendre un taxi) nous

____

4. (aller à l'exposition de sculpture) la classe de français

____

5. (faire du ski à Chamonix) on

____

6. (devenir acteur) Farid

____

7. (vendre des produits moins chers) les commerçants

____

8. (aider la fermière à traire les vaches) je

____

Nom et prénom: ______________________ Classe: ______________ Date: ______________

39 Look at the thought bubbles of each character in the illustrations below, then write out what they might be suggesting or wishing, using **si + imparfait**.

MODÈLE  **Si j'avais une voiture!**

1. ____

2. ____

3. ____

4. ____

5. ____

6. ____

Nom et prénom: ____________________ Classe: ______________ Date: ______________

40 Your grandpa has become hard of hearing and asks you to repeat what each person says. Use the verb **dire** to respond to him. Follow the **modèle**.

MODÈLE –"Bonjour, monsieur!"
–Qu'est-ce qu'elle dit?
–Elle dit, "Bonjour, monsieur!"

1. –"Bonjour, madame!"
   –Qu'est-ce qu'elle dit?
   –______________________________
2. –"Bon appétit!"
   –Qu'est-ce qu'ils disent?
   –______________________________
3. –"Joyeux Noël!"
   –Qu'est-ce que vous dites?
   –______________________________
4. –"Allez l'OM!"
   –Qu'est-ce qu'ils disent?
   –______________________________
5. –"Joyeux anniversaire!"
   –Qu'est-ce que vous dites?
   –______________________________
6. –"Salut, Mathieu!"
   –Qu'est-ce qu'ils disent?
   –______________________________
7. –"Bienvenue!"
   –Qu'est-ce qu'on dit?
   –______________________________
8. –"À bientôt!"
   –Qu'est-ce que tu dis?
   –______________________________

Nom et prénom: ______________________ Classe: ______________ Date: ______________

41 Say what each person just said, using the verb **dire**. Follow the **modèle**.

MODÈLE "Je vais me spécialiser en études de cinéma."
Anne **dit qu'elle va se spécialiser en études de cinéma.**

1. "Nous allons étudier à la Sorbonne l'année prochaine."

   Tom et Tiffany ____

2. "Je ne comprends pas la réponse."

   Sabrina ____

3. "J'ai perdu mon ordinateur."

   Tu ____

4. "Nous allons revenir demain."

   M. et Mme Saint-Clair ____

5. "J'attends les notes de l'examen."

   Moi, ____

6. "Nous avons bien mangé."

   Ils ____

7. "On part en vacances demain."

   Papa ____

8. "J'ai oublié d'apporter les boissons!"

   Patricia ____

9. "J'ai peur des dindons!"

   Toi, ____

10. "Nous sommes trop fatigués!"

    Les jeunes ____

Nom et prénom: ______________________ Classe: ______________ Date: ______________

Unité 5: Bon voyage et bonne route!

Leçon A

Vocabulaire

1 Match the verbs in the left column with the nouns in the right column.

1. s'avancer	A. sa carte d'embarquement
2. passer	B. une boisson
3. retirer	C. le billet d'avion
4. vérifier	D. à bord
5. faire enregistrer	E. dans le compartiment à bagages
6. mettre la valise	F. ses bagages
7. monter	G. le contrôle de sécurité
8. attendre	H. vers le comptoir
9. servir	I. le vol

2 Put the following sentences in order from 1-9 to help Saloua get through the airport and on her plane to Belgium.

A. Imprime ton billet électronique à l'aéroport. _______

B. Va à la porte d'embarquement. _______

C. Bon voyage! _______

D. Prends ta carte d'embarquement. _______

E. Fais enregistrer tes bagages. _______

F. Attends ton vol. _______

G. Va au comptoir de la compagnie Air France. _______

H. Passe le contrôle de sécurité. _______

I. Monte à bord. _______

Nom et prénom: ______________________ Classe: ______________ Date: ______________

3 As a new staff member for Air France, you have been assigned to guide a group of French children to their plane departing to the U.S. Give them commands. Follow the **modèles**.

MODÈLES prendre/vos billets
Prenez vos billets!

ne ... pas laisser/vos bagages aux toilettes
Ne laissez pas vos bagages aux toilettes!

1. suivre/le guide

____

2. prendre/vos valises

____

3. enregistrer/les bagages

____

4. ne ... pas arriver/en retard

____

5. arriver/en avance

____

6. ne ... pas oublier/votre passeport

____

7. aller/à la porte d'embarquement

____

8. ne ... pas attendre le vol/à une autre porte d'embarquement

____

Nom et prénom: ______________________ Classe: ______________ Date: ______________

4 Say what the following people are complaining about, according to the illustrations.

MODÈLE

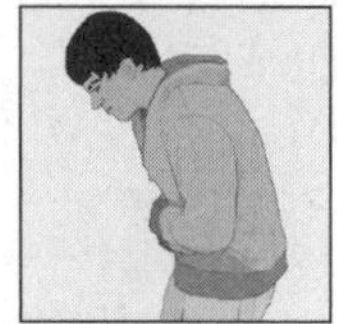

Didier

Didier se plaint d'avoir mal au ventre.

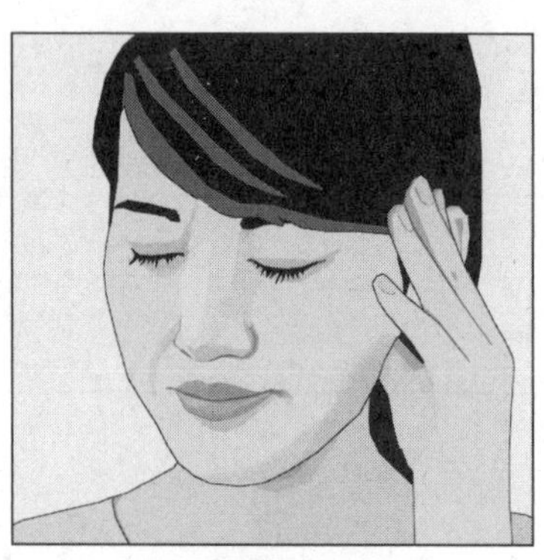

1. Marianne

2. Nasser

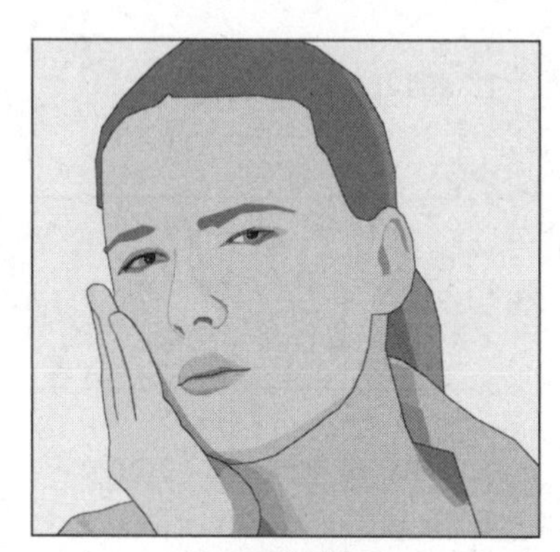

3. Gisèle

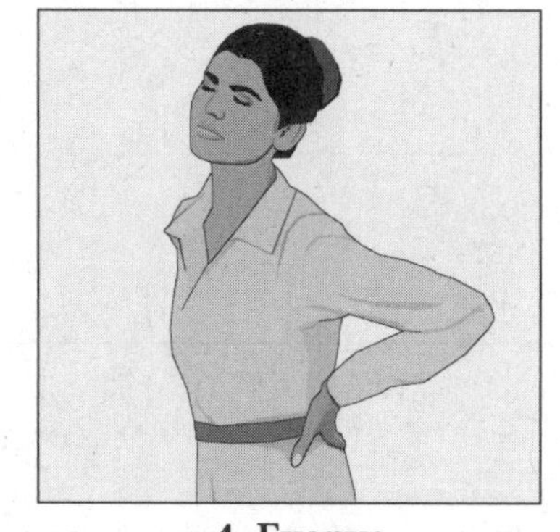

4. Evenye

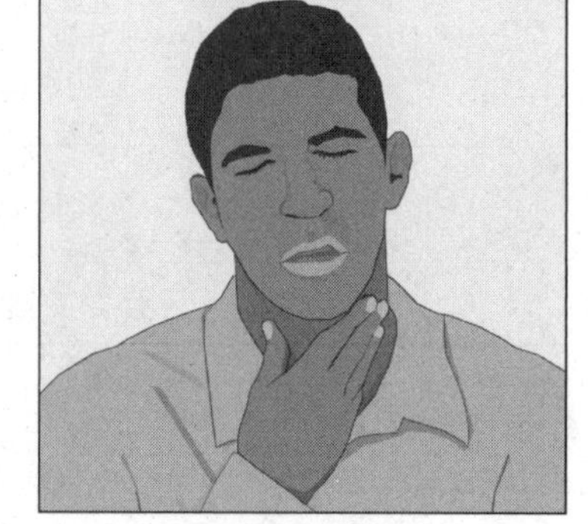

5. Mamadou

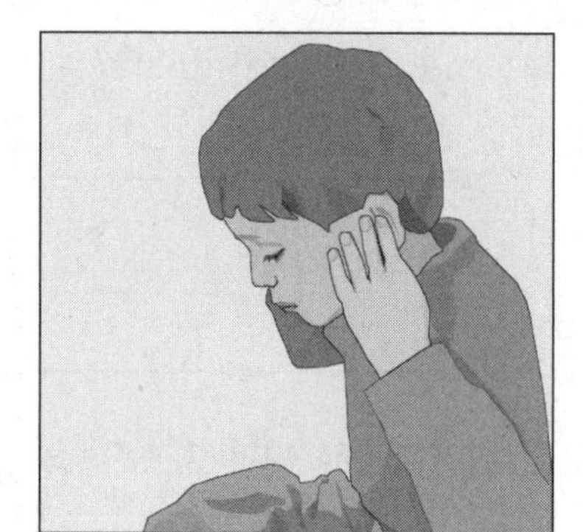

6. Julien

1. ____
2. ____
3. ____
4. ____
5. ____
6. ____

Nom et prénom: ______________________ Classe: ______________ Date: ______________

Culture

5 Answer the following questions. Refer to the **Points de départ** in **Leçon A**.

1. Quelles sont les grandes évolutions de la compagnie **Air France**?

   1933: ______________________________

   1945: ______________________________

   1974: ______________________________

   1999: ______________________________

   2000: ______________________________

2. Quelles sont les différences entre les deux plus grands aéroports parisiens?

   – Orly:

   ____

   ____

   – Charles de Gaulle:

   ____

   ____

   ____

3. Donnez des exemples qui illustrent l'attractivité de Bordeaux:

   – comme ville patrimoniale:

   ____

   ____

   – comme ville industrielle:

   ____

   ____

   – comme ville culturelle:

   ____

   ____

Nom et prénom: _______________ Classe: _______________ Date: _______________

Structure

6 Fill in the blanks with the correct direct object pronoun.

MODÈLE Tu viens nous chercher?
Oui, je viens **vous** chercher.

1. Tu m'attends?

   Oui, je _______________ attends.

2. Pardon, vous nous attendez à la Porte C?

   Non, nous _______________ attendons à la Porte G!

3. Jean, tu me vois?

   Oui, je _______________ vois au contrôle de sécurité.

4. Dis, Alic, est-ce que tu m'aimes?

   Oui, Fatouma, je _______________ aime.

5. Pardon, vous me cherchez?

   Non, je ne _______________ cherche pas.

6. Tais-toi, Farid et Damien nous comprennent.

   Mais non, ils ne _______________ comprennent pas!

7 Say who Rachida is inviting to her party. Use a direct object pronoun.

MODÈLE Moussa et moi, oui **Elle nous invite.**

1. Alex et moi, non _______________
2. toi, oui _______________
3. moi, oui _______________
4. oncle Alfred et toi, non _______________
5. ta mère et toi, non _______________
6. mon père et moi, non _______________
7. Sonia et moi, oui _______________
8. Jacques et toi, non _______________

Nom et prénom: ______________________ Classe: ______________ Date: ______________

8 Fill in the blanks with the correct object pronoun.

MODÈLE Anaïs, tu **m'**attends devant le lycée?
Oui, je **t'**attends.

1. Jacques et Pierre, on ______________ retrouve à la soirée?

   Oui, vous ______________ retrouvez à la soirée.
2. Luis et Yacine, vous ______________ aidez avec mon français?

   Oui, nous ______________ aidons avec ton français.
3. Anna, le professeur ______________ cherche.

   Il ______________ cherche pour quoi faire?
4. Tu ______________ présentes cette personne?

   Oui, Pierre et Sarah, je ______________ présente cette personne.
5. Simon, tu ______________ apportes un café?

   Non, je ______________ apporte un coca.
6. Gilles, je ______________ vois au cinéma?

   Oui, tu ______________ vois au cinéma.
7. Ta sœur, est-ce qu'elle ______________ attend après la soirée?

   Oui, Régis, tu es son ami alors elle ______________ attend.
8. Regarde, le garçon avec des lunettes, tu crois qu'il ______________ voit?

   Non, nous sommes derrière la voiture, il ne ______________ voit pas.

9 Complete the following text with the appropriate direct object pronouns.

Salut, (1) ______________ voici à la tour Eiffel. La caissière (2) ______________ appelle et (3) ______________ donne un ticket. Puis, l'agent (4) ______________ aide tous à trouver l'ascenseur. Je monte au deuxième étage. Mon copain Jacques me dit: Tiens, Rachel, l'audioguide (5) ______________ aide à (6) ______________ guider. Devant nous, Paris (7) ______________ regarde! Bon, les copains, je (8) ______________ envoie des photos!

Leçon B

Vocabulaire

10 Write the parts of the car that correspond to the illustration.

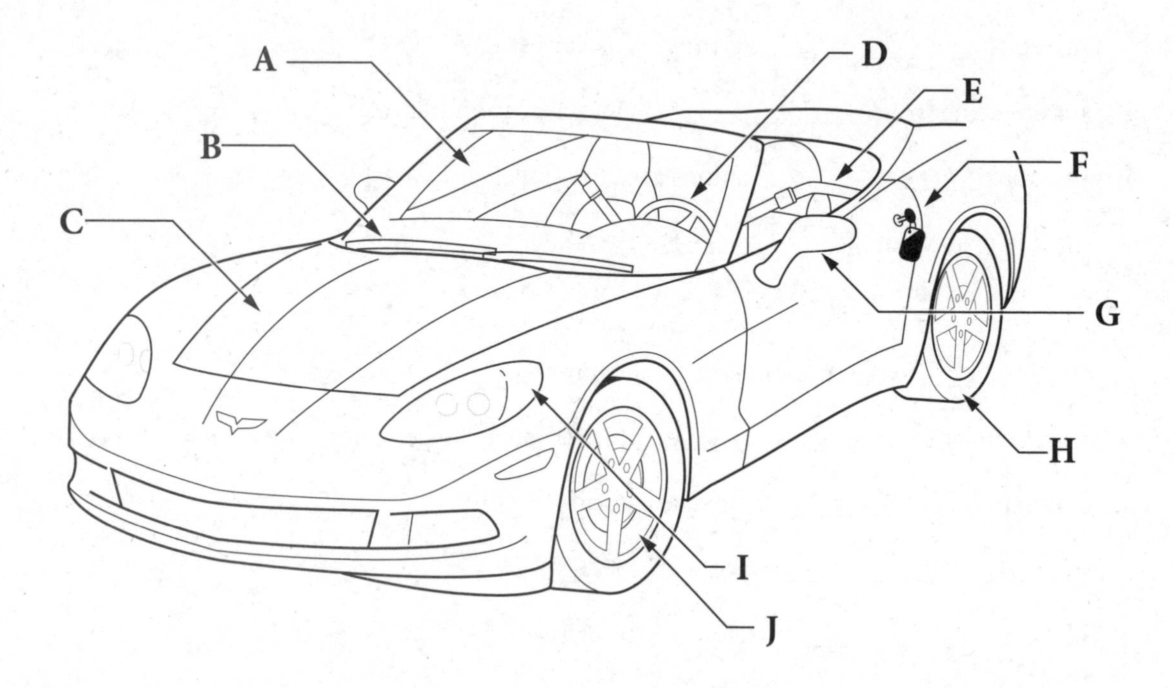

A. ______________________ F. ______________________

B. ______________________ G. ______________________

C. ______________________ H. ______________________

D. ______________________ I. ______________________

E. ______________________ J. ______________________

Nom et prénom: ______________________ Classe: ______________ Date: ______________

11 Write the vocabulary terms that correspond to the definitions below.

1. Ce véhicule est fait pour circuler au soleil et à l'air libre.

   ____

2. Avec ce véhicule, on peut partir en vacances et ne pas aller à l'hôtel.

   ____

3. Ce véhicule est fait pour les courses (*races*) de compétition.

   ____

4. Ce véhicule est fait pour transporter des marchandises (*merchandise*).

   ____

5. Cet objet est nécessaire pour le conducteur et les passagers.

   ____

6. Il faut le mettre pour indiquer qu'on va tourner la voiture.

   ____

7. Cette partie de la voiture permet de circuler plus vite.

   ____

8. Pour arrêter la voiture, il faut appuyer (*push*) dessus (*on it*).

   ____

Nom et prénom: ______________________ Classe: ______________ Date: ______________

12 Write what part of the car is used to perform the following actions.

1. Pour accélérer, j'appuie (*push*) sur ______________________________
2. Pour aller moins vite, j'appuie sur ______________________________
3. Pour tourner à gauche ou à droite, j'utilise ______________________________
4. Pour démarrer la voiture, j'utilise ______________________________
5. Pour conduire, je prends ______________________________
6. Pour rouler pendant longtemps, je fais ______________________________
7. Pour ma sécurité, je mets ______________________________

13 Write the missing expressions to say what the following people are doing.

1. Marc travaille dans un garage, où il ____________________ les voitures.
2. Je n'ai plus d'essence, je dois ____________________.
3. Pierre ne voit pas bien, alors, il ____________________ le pare-brise.
4. La famille Boudin part en vacances en voiture, alors M. Boudin ____________________ l'huile.
5. Marie-Alix n'a plus d'essence, sa voiture est ____________________, oh non!
6. Pour éviter un accident, Daniel appuie sur ____________________.
7. Quand je conduis, j'ai les mains sur ____________________.
8. On peut vérifier les pneus à la prochaine ____________________.

Nom et prénom: ______________________ Classe: ______________ Date: ______________

14 Answer the questions and say whether you and people you know look forward to doing the following things or not.

MODÈLES Tu as hâte de voir tes grands-parents?
Oui, j'ai hâte de voir mes grands-parents.

Ton frère a hâte de recevoir son contrôle de géographie?
Non, il n'a pas hâte de recevoir son contrôle de géographie.

1. Tu as hâte de devenir adulte?

____

2. Tu as hâte d'avoir une voiture à toi?

____

3. Ton père a hâte d'aller chez le dentiste?

____

4. Ta mère a hâte d'acheter un cadeau pour ton anniversaire?

____

5. Tes amis ont hâte de sortir avec toi?

____

6. Tu as hâte de finir tes études?

____

7. Tes parents ont hâte de payer tes études à l'université?

____

8. Tu as hâte de te marier?

____

Nom et prénom: ______________________ Classe: ______________ Date: ______________

Culture

15 Answer the following questions about French car enterprises. Refer to the **Points de départ** in **Leçon B**.

1. En quelle année l'entreprise Peugeot a-t-elle été créée?

____

2. La voiture "Croisière jaune" est de quelle marque (*brand*)?

____

3. Quel est le symbole de la marque Peugeot?

____

4. Quelles sont les trois marques automobiles du Groupe PSA?

____

5. En quelle année cette compagnie a-t-elle été fondée, et par qui?

____

6. En quelle année la compagnie Renault a-t-elle été fondée, et par qui?

____

7. Quels genres d'automobiles produit-elle (*does it produce*)?

____

8. Aujourd'hui, Renault a des usines dans quels endroits du monde?

____

Nom et prénom: ______________________ Classe: ______________ Date: ______________

16 Answer the following questions about driving in France. Refer to the **Points de départ** in **Leçon B**.

1. Quel âge faut-il avoir pour conduire une voiture en France?

   ____

2. Le permis de conduire français est valable (*valid*) dans quels autres pays?

   ____

3. Qu'est-ce que le permis A?

   ____

4. Qu'est-ce que le permis B?

   ____

5. Comment fonctionne un permis à points?

   ____

6. Au début, on a combien de points avec le permis?

   ____

7. Où peut-on apprendre à conduire?

   ____

8. Quels sont les tests qu'il faut passer pour obtenir son permis?

   ____

Nom et prénom: ______________________ Classe: ______________ Date: ______________

Structure

17 Answer the following questions about cars affirmatively. Use direct object pronouns.

MODÈLE Tu aimes les décapotables?
Oui, je les aime bien.

1. Tu conduis la voiture de sport de Dale Earnhard Jr.?

____

2. Ta famille veut acheter le dernier monospace Citroën?

____

3. Tu vérifies l'huile de ta voiture?

____

4. Tu nettoies la voiture de tes parents?

____

5. Tu vérifies le moteur avant de faire un long voyage en voiture?

____

6. Tu fais le plein toutes les semaines?

____

7. Tu vérifies les pneus avant un voyage?

____

8. Tu as ton examen pour avoir ton permis aujourd'hui?

____

18 Say what the following people must do. Use a direct object pronoun and follow the **modèle**.

MODÈLE trouver la porte d'embarquement/nous
Nous devons la trouver.

1. acheter les billets en avance/tu

____

2. prendre la carte de crédit dans son sac/maman

____

3. enregistrer les bagages/on

____

4. mettre la ceinture de sécurité une fois à bord/tu

____

5. porter les valises/papa

____

6. imprimer les billets/l'agent

____

7. écouter l'hôtesse/les passagers

____

8. apporter les boissons/l'hôtesse

____

Nom et prénom: ______________ Classe: __________ Date: __________

19 Answer the following questions. Follow the **modèle**.

MODÈLE Tu as ton livre de français?
Oui, **je l'ai.**

1. Tu as le numéro de téléphone de Matilda?

   Oui, ______________________________

2. Tu as les noms des profs de gym du lycée?

   Non, ______________________________

3. Tu as le dernier album d'Air?

   Oui, ______________________________

4. Tu as la clé de la salle d'informatique?

   Non, ______________________________

5. Tu connais ce nouveau logiciel?

   Oui, ______________________________

6. Tu as les feuilles de papier pour l'imprimante?

   Oui, ______________________________

7. Tu vois bien la prof avec tes lunettes?

   Non, ______________________________

8. Tu as la carte du monde en couleur?

   Oui, ______________________________

Nom et prénom: ______________________ Classe: ______________ Date: ______________

20 Rewrite the following sentences, replacing the underlined nouns with the correct object pronoun. Remember to place it before the appropriate verb. Follow the **modèle**.

MODÈLE Nous emmenons Abdou voir les animaux du zoo.
Nous l'emmenons voir les animaux du zoo.

1. C'est bien, nous avons la carte d'embarquement.

   ____

2. Tu ne vois pas l'avion décoller?

   ____

3. Oui, je fais enregistrer les bagages tout de suite.

   ____

4. Moi, je vais visiter les musées de Chicago.

   ____

5. Oui, Michaela va voir sa grand-mère à Londres.

   ____

6. Toi et moi, nous pouvons acheter ces chaussures.

   ____

7. L'hôtesse de l'air observe les passagers du vol 211.

   ____

8. Oui, madame, je prends cette boisson.

   ____

Nom et prénom: ______________________ Classe: ______________ Date: ______________

21 Use direct object pronouns to answer the following questions affirmatively in the **passé composé**. Remember to make the past participle agree with the preceding direct object.

MODÈLE Tu as vérifié l'huile?
Oui, je l'ai vérifiée.

1. Tu as pris la carte?

____

2. Tu as fait les bagages?

____

3. Tu as nettoyé la voiture?

____

4. Tu as fermé le coffre?

____

5. Tu as pris les clés de la maison?

____

6. Tu as vérifié les pneus?

____

7. Tu as rangé les papiers?

____

8. Tu as vu les filles sur le scooter?

____

Nom et prénom: ______________________ Classe: ______________ Date: ______________

22 Answer the following questions in the **passé composé** affirmatively, making sure to include all the elements provided. Use direct object pronouns. Remember to make the past participle agree with the preceding direct object.

1. Est-ce que ton père a étudié la carte avant de partir?

____

2. Tes parents ont écouté la météo ce matin?

____

3. Pierre a envoyé les photos à sa famille?

____

4. Tu as vu les gens à la manifestation?

____

5. Vous avez rencontré la touriste américaine hier soir?

____

23 Answer the following questions in relation to your own life. Use direct object pronouns. Remember to make the past participle agree with the preceding direct object.

1. Tes parents ont-ils acheté la nouvelle voiture Renault?

____

2. Ta meilleure amie a-t-elle reçu le prix (*prize*) Nobel?

____

3. As-tu entendu les dernières chansons de Stromae?

____

4. Est-ce que les camarades de classe t'ont invité(e) à une fête?

____

5. Est-ce que tu as emmené ta grand-mère faire du shopping?

____

Nom et prénom: ______________________ Classe: ______________ Date: ______________

24 Write the correct form of the verb **conduire** in the present tense to complete the following sentences.

1. Nous ____________________ de Paris à Valence tous les weekends.
2. Tu ____________________ bien ou mal?
3. Les champions de Formule 1 ____________________ très vite.
4. On ne ____________________ jamais la nuit.
5. Moi, je ____________________ une belle décapotable.
6. Magali et Anna-Lise ____________________ depuis un an.
7. Grand-père et grand-mère, vous ____________________ toujours à votre âge?
8. Ma tante ne ____________________ jamais.

25 Write the correct form of the verb **conduire** in the **passé composé** to complete the following sentences.

1. J'______________________ avec mon frère et ses trois copains.
2. La chanteuse de rap ______________________ après l'accident.
3. Ma famille et moi, nous ______________________ de Paris à Lyon en quatre heures.
4. Il y a deux semaines, j'______________________ 100 kilomètres!
5. Est-ce que tu ______________________ la nouvelle voiture de sport de M. Landroux?
6. Les Mercier ______________________ près des Alpes.
7. On ______________________ un avion samedi dernier.
8. Le pilote ______________________ pendant 23 heures.

Nom et prénom: ______________________ Classe: _____________ Date: _____________

26 Answer the following questions. Pay attention to the form and tense of the verb **conduire**.

1. Qui conduit le mieux de tes amis?

____

2. As-tu déjà conduit en France?

____

3. Tes parents conduisent tes frères et sœurs à l'école?

____

4. Tes amis et toi, vous avez conduit à une fête le soir?

____

5. Qui a conduit la dernière fois que tu es allé(e) au cinéma?

____

6. Ton père et toi, vous conduisez bien ou mal?

____

7. Pourquoi les français ne conduisent pas à 16 ans?

____

8. Ta famille et toi, avez-vous conduit en Angleterre?

____

Nom et prénom: ______________ Classe: ______________ Date: ______________

Leçon C

Vocabulaire

27 Put the following breakfast items in the correct categories below.

du pain perdu	du bacon	du thé	des œufs brouillés
des crêpes	du chocolat chaud	un croissant	du pain grillé
des saucisses	une tartine	de la confiture	du sirop d'érable
du Nutella	du café au lait	des œufs sur le plat	des céréales

du jus de pamplemousse

1. boissons: ______________________________

____

2. protéines: ______________________________

____

3. graines: ______________________________

____

4. condiments sucrés: ______________________________

____

28 Circle the breakfast item that does not belong in the group.

1. croissant, tartine, saucisses
2. œufs brouillés, œufs sur le plat, bacon
3. saucisses, pain perdu, thé
4. croissant, crêpes, œufs sur le plat
5. café au lait, chocolat chaud, jus de pamplemousse
6. saucisses, œufs sur le plat, café
7. tartine, confiture, bacon
8. café au lait, sirop d'érable, thé au citron

Nom et prénom: ______________________ Classe: ______________ Date: ______________

29 Complete the vocabulary terms by matching a number with a letter.

1. pain	A. brouillés
2. café	B. d'érable
3. œufs	C. grillé
4. chocolat	D. au citron
5. thé	E. de pamplemousse
6. tartine	F. chaud
7. jus	G. avec de la confiture
8. sirop	H. au lait

30 The Boyer family is having breakfast at their hotel this morning. Write a small paragraph to describe what each person will be eating and drinking according to the illustration below. Write a minimum of four sentences.

____

____

____

____

____

____

Nom et prénom: ______________________ Classe: ______________ Date: ______________

31 Answer the following questions about your breakfast habits and preferences.

1. Qu'est-ce que tu manges avec un croissant?

____

2. Préfères-tu le thé ou le café?

____

3. Qu'est-ce que ta famille mange pour le petit déjeuner?

____

4. Selon toi, qu'est-ce qu'un petit déjeuner américain typique?

____

5. As-tu mangé une tartine avec du Nutella?

____

6. Comment est-ce que tu préfères tes œufs, et avec quelle viande (*meat*)?

____

7. Est-ce que tu préfères les crêpes américaines ou le pain perdu?

____

8. En général, que prends-tu pour le petit déjeuner?

____

32 M. and Mme Cavale are making a reservation at a hotel. Fill in the blanks with vocabulary words from **Leçon C**.

1. –Bonjour messieurs-dames, vous avez réservé votre ______________________?
2. –Oui, madame, mais je vois qu'il fait très chaud. J'espère qu'il y a ______________________!
3. –Bien sûr, monsieur. Nous avons aussi ______________________, pour vous détendre.
4. –Ah, très bien, madame. Est-ce que nous avons ______________________?
5. –Ah, non, je suis désolée, nous avons dû changer la réservation, il y en a deux maintenant, ce sont ______________________.

Nom et prénom: ______________________ Classe: ______________ Date: ______________

Culture

33 Answer the following questions according to the **Points de départ** in **Leçon C**.

1. Quelle est la différence de prix entre un hôtel et un gîte?

____

2. Qu'est-ce qu'une auberge a qu'un gîte n'a pas?

____

3. Peut-on trouver une auberge en ville?

____

4. Quel est le type de logement où on habite chez des personnes?

____

5. Citez un hôtel de luxe à Cannes.

____

6. Où se situe l'hôtel le Ritz?

____

7. Qu'appelait-on un hôtel terminus?

____

8. Qu'est-ce qu'un hôtel louche?

____

Nom et prénom: ______________________ Classe: ______________ Date: ______________

Structure

34 Replace the underlined segments with the indirect object pronoun **lui** or **leur**.

MODÈLE Je conseille à mes parents de partir en vacances.
Je leur conseille de partir en vacances.

1. Le serveur sert un jus d'orange à mon petit frère.

   ____

2. Le peintre vend des tableaux de Paris aux touristes.

   ____

3. Ma grand-mère envoie un paquet à mon père par la poste.

   ____

4. M. et Mme Dumas offrent une voiture décapotable à leurs enfants.

   ____

5. Jean et Marie téléphonent au réceptionniste de l'hôtel.

   ____

6. Toi et moi, nous parlons à nos amis.

   ____

7. Avant d'aller à l'école, Sarah envoie un texto à son petit ami.

   ____

8. Avant de sortir le soir, Max envoie un texto à sa petite amie.

   ____

Nom et prénom: ______________________ Classe: ______________ Date: ______________

35 Answer the following questions with the indirect object pronoun **lui** or **leur**.

MODÈLE Vous parlez au serveur, madame?
Oui, je lui parle.

1. Pascal, tu téléphones au réceptionniste?

____

2. Andréa et Francine, vous téléphonez à vos parents?

____

3. La serveuse sert le café à ta mère?

____

4. Les enfants, vous servez des croissants à papa?

____

5. Tu parles à tes amis de tes problèmes?

____

6. Alors, on offre des films à Antoine pour son anniversaire?

____

7. Tu achètes une veste noire à ta sœur?

____

8. Toi et moi, nous donnons une carte cadeau à nos cousins pour Noël?

____

Nom et prénom: ______________________ Classe: ______________ Date: ______________

36 Rewrite the following sentences in the negative form.

MODÈLE Patrick lui téléphone ce matin.
Patrick ne lui téléphone pas ce matin.

1. Nous leur parlons ce soir.

____

2. Le directeur lui conseille de continuer les sciences.

____

3. Leur mère leur dit de sortir.

____

4. L'ami de mon père lui demande de faire une partie de tennis.

____

5. On leur offre de venir dîner à la maison.

____

6. À Bordeaux, on lui vole (*steal*) son passeport.

____

7. Le prof d'informatique leur montre un site internet.

____

8. Le jeune serveur du café lui offre un coca.

____

Nom et prénom: _______________ Classe: _______________ Date: _______________

37 Answer the questions, using indirect object pronouns. Watch out for different tenses. Follow the **modèles**.

MODÈLES Est-ce qu'Éric parle à ses parents?
Oui, **il leur parle.**

Est-ce que les jeunes vont téléphoner à Marie-Pierre?
Non, **ils ne vont pas lui téléphoner.**

1. Tu demandes de l'argent à ta tante?

   Oui, _______________

2. Est-ce qu'on offre un ensemble en jean à grand-mère?

   Non, _______________

3. Tu demandes des conseils à ta tante?

   Oui, _______________

4. Wilfried va envoyer un texto à la directrice de l'hôtel?

   Non, _______________

5. Tu vas acheter une décapotable à ta femme?

   Oui, _______________

6. Est-ce que nous allons parler aux habitants de la ville?

   Non, _______________

7. Est-ce que Danielle demande aux copains d'aller en boîte?

   Oui, _______________

8. Est-ce qu'on va servir du poulet aux invités?

   Non, _______________

Nom et prénom: ______________________ Classe: ______________ Date: ______________

38 Answer the following questions with the correct indirect object pronoun.

1. De quoi est-ce que ta correspondante sénégalaise te parle?

   Elle __________ parle des montagnes au Sénégal.

2. Jacques et Rahim, est-ce que Pierre vous a donné les clés de sa voiture de sport?

   Non, il ne __________ a pas donné les clés de sa voiture de sport.

3. Est-ce que le dentiste a donné un rendez-vous à ton amie Juliette?

   Oui, il __________ a donné un rendez-vous pour demain.

4. Qu'est-ce qu'on demande au réceptionniste?

   On __________ demande si la chambre a des lits jumeaux.

5. Monsieur Marcher, est-ce que la directrice vous a téléphoné?

   Oui, elle __________ a téléphoné.

6. Qui nous offre le petit déjeuner à l'hôtel?

   Marina __________ offre le petit déjeuner à l'hôtel.

7. Est-ce que tu demandes beaucoup à manger aux serveurs?

   Oui, je __________ demande beaucoup à manger.

8. Est-ce qu'on va offrir une nouvelle voiture à Salima et Angélique?

   Non, on ne va pas __________ offrir une nouvelle voiture.

Nom et prénom: ______________________ Classe: ______________ Date: ______________

39 Write sentences in the indicated tense. Follow the **modèles**.

MODÈLES nous/ne pas écrire à Jacques (présent)
Nous ne lui écrivons pas.

toi/envoyer un texto à Marie (passé composé)
Tu lui as envoyé un texto.

1. moi/donner des billets de cinéma à mes amis (présent)

   ____

2. Janine/ne pas conseiller ce restaurant à moi (passé composé)

   ____

3. moi/ne pas téléphoner à Norbert avant la séance du film (présent)

   ____

4. La famille Moen/offrir des fleurs à nous (passé composé)

   ____

5. Evenye/présenter une amie à Abdou (passé composé)

   ____

6. La boulangère/donner un croissant à mon fils (présent)

   ____

7. Le réceptionniste/ne pas offrir une chambre avec la climatisation aux parents (présent)

   ____

8. moi/demander de vérifier la date du concert à toi (passé composé)

   ____

Nom et prénom: ________________________ Classe: _______________ Date: _______________

40 Complete the following sentences with the correct form of **boire** in the present tense.

1. Moi, je _______________ un jus d'orange.
2. Estelle _______________ un café au lait, avec un peu de sucre.
3. Ben alors, tu ne _______________ rien?
4. Quand il fait chaud, nous _______________ un thé au citron bien frais.
5. La championne de tennis _______________ toujours de l'eau avant le match.
6. Les Français ne _______________ pas plus de lait que les Américains.
7. Dis, on _______________ du café pour le petit déjeuner?
8. Madame Larcin, vous _______________ toujours du chocolat chaud le matin.

41 Complete the following sentences with the correct form of the adjective **tout**.

1. Nous avons fini _______________ la tarte aux pommes!
2. Joachim a invité _______________ les élèves.
3. Est-ce que tu as suivi _______________ la recette?
4. M. Beau n'aime pas _______________ les genres de musique.
5. Nous allons visiter _______________ les tours de la région.
6. Je n'ai pas fini _______________ mes devoirs.
7. Mme Moen a écrit _______________ la pièce.
8. Quoi? C'est _______________ le Nutella que tu as?
9. L'année prochaine, nous allons conduire dans _______________ le Luxembourg.
10. Les pastèques? Oui, elles sont _______________ fraîches!

Nom et prénom: ______________________ Classe: ______________ Date: ______________

Unité 6: Les arts maghrébins

Leçon A

Vocabulaire

1 Match each description in the left column with the correct item in the right column.

1. Il peut être fantastique ou merveilleux.	A. un article
2. Il se lit (*You read it*) une fois par semaine.	B. une pièce
3. On la voit au théâtre.	C. un poème
4. Il donne les nouvelles du jour.	D. un roman
5. Il se trouve dans le journal.	E. un conte
6. C'est court (*short*) et écrit avec des rimes.	F. un journal
7. Il raconte une histoire fictive.	G. un magazine
8. C'est une histoire avec des dessins.	H. une bande dessinée

2 Complete the following sentences with the most appropriate vocabulary expression.

les articles	un conte	une pièce	un magazine
un roman	le journal	un poème	une bande dessinée

1. Tous les jours, j'achète ____________________________.
2. Je lis ____________________________ sur la politique et le sport.
3. Une fois par semaine, j'achète ____________________________ spécialisé sur le sport.
4. À la médiathèque, j'ai pris ____________________________ de Victor Hugo, *Les Misérables.*
5. Hier soir, nous sommes allés voir ____________________________ très célèbre, *Cyrano de Bergerac.*
6. Nous avons appris ____________________________ de Jacques Prévert en classe de français.
7. Selon moi, *Les aventures de Tintin* est ____________________________ très bien faite.
8. *Blanche Neige et les Sept nains* est ____________________________ pour enfants.

Nom et prénom: ______________________ Classe: ______________ Date: ______________

3 Choose the correct vocabulary term to indicate the source of each writing sample below.

un SMS	une rédaction	un message
une lettre	un blog	une carte postale

1. Bonjour de Paris! ______________________
2. KOI2 9? A2m1! ______________________
3. Cher Monsieur Bonnet, Je vous écris pour... ______________________
4. Salut Pierre, je rentre à cinq heures ce soir! Bisous, Élodie. ______________________
5. Amis blogeurs, aujourd'hui on va parler des sites de jeux. ______________________
6. Vous allez interroger le symbolisme dans le roman de Stendhal. ______________________

4 Match segments from the left column to their completions in the right column to form eight correct sentences.

1. Le professeur explique
2. Il s'agit d'
3. J'emprunte (*borrow*) le
4. Je vais te faire connaître un
5. Dans la pièce, *Don Juan*,
6. C'est trop compliqué, alors
7. À la médiathèque,
8. Aujourd'hui,

A. roman à mon camarade parce que j'ai oublié le mien.
B. beau conte algérien.
C. explique-moi encore.
D. un homme à la recherche de (*looking for*) son identité.
E. comment comprendre ce poème.
F. j'ai emprunté trois bandes dessinées.
G. il s'agit d'un homme qui aime beaucoup les femmes.
H. je vais vous faire connaître un nouvel auteur.

Nom et prénom: ______________________ Classe: ______________ Date: ______________

5 For each vocabulary word below, write a sentence with the verb **lire** or **écrire**, using different pronouns and subjects.

MODÈLE un article
Nous lisons un article sur l'économie.

1. un SMS

____

2. une pièce

____

3. une lettre

____

4. un blog

____

5. une rédaction

____

6. une bande dessinée

____

7. une carte postale

____

8. un roman

____

9. un message

____

10. le journal

____

11. un poème

____

12. un conte

____

Nom et prénom: ______________________ Classe: ______________ Date: ______________

6 Answer the following questions in complete sentences.

1. Quel est ton genre de lecture préféré?

____

____

2. Achètes-tu un magazine régulièrement? Si oui, lequel?

____

____

3. Comment s'appellent tes blogs préférés? Pourquoi les aimes-tu?

____

____

4. Tu préfères lire ou écrire des poèmes?

____

____

5. Connais-tu une bonne pièce de théâtre? De quoi s'agit-il?

____

____

6. Écris-tu des messages à la main à tes amis ou préfères-tu envoyer des textos?

____

____

Nom et prénom: ______________________ Classe: ______________ Date: ______________

Culture

7 Answer the following questions about Morocco. Refer to the **Points de départ** in **Leçon A**.

1. En quelle année le Maroc est-il devenu indépendant? ______________________________
2. Quelles sont les industries principales du Maroc?

   ____

   ____

3. Quelle est la devise monétaire du Maroc? ______________________________
4. Qu'est-ce qui rend la culture marocaine riche?

   ____

5. Citez deux écrivains marocains contemporains.

   ____

6. Qui est le réalisateur du film *Les Cœurs Brûlés*?

   ____

7. Quelles sont les langues officielles du Maroc?

   ____

8 With the help of your **dico arabe**, rewrite the following sentences, using French words with which you are more familiar. Refer to the **Points de départ** in **Leçon A**.

1. C'est kif kif.

   ____

2. Il faut appeler le toubib.

   ____

3. C'est quoi, ce ramdam?!

   ____

4. J'habite dans un bled à cent kilomètres de Paris.

   ____

5. T'as du flouze?

   ____

Nom et prénom: ________________________ Classe: _______________ Date: _______________

9 Answer the following questions about comic books. Refer to the **Points de départ** in **Leçon A**.

1. Quels sont les quatre principaux héros de la BD francophone?

____

2. Qu'est-ce qui caractérise:

a. Tintin ____

b. Astérix ____

c. Lucky Luke ____

3. Qui sont Uderzo et Goscinny?

____

4. Quel genre de bandes dessinées est populaire aujourd'hui? Donnez un exemple.

____

5. Où se passe le festival de la bande dessinée?

____

Structure

10 Complete the following sentences with the correct form of the verb **lire** in the present tense.

1. –Qu'est-ce que tu _______________?
2. –Je _______________ un roman de Marc Lévy.
3. –Et vous, vous _______________ quoi?
4. –Nous _______________ une BD de Tarquin et Arleston.
5. –Qu'est-ce que Marlène _______________ pour se reposer?
6. –Elle _______________ un poème de Rimbaud.
7. –Que _______________ les Français pendant leur temps libre?
8. –Nous _______________ un conte de Daudet dans la classe de Mme Martin.

Nom et prénom: ______________________ Classe: ______________ Date: ______________

11 Describe what the following people are reading, according to the illustrations. Answer in full sentences and give as much detail as possible.

MODÈLE

Rachid

Rachid lit une bande dessinée drôle.

1. Jean et Jeanne

2. Patricia et toi

3. mon père

4. ta prof d'anglais

5. moi

6. toi

7. mon frère et moi

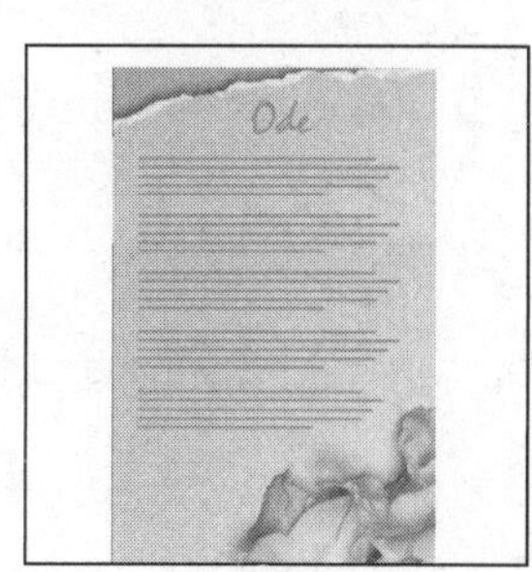

8. on

1. ____
2. ____
3. ____
4. ____
5. ____
6. ____
7. ____
8. ____

12 Complete the following sentences with the correct form of the verb **écrire** in the present tense.

1. Qu'est-ce que tu ____________________?
2. J'____________________ un blog pour les fans de cinéma.
3. Et Adama, qu'est-ce qu'il ____________________ tous les matins?
4. Il ____________________ une lettre pour trouver un emploi.
5. Ta sœur et toi, vous ____________________ une superbe rédaction!
6. Les élèves de la classe d'économie ____________________ un rapport (*report*) sur l'économie européenne.
7. Aujourd'hui, on ____________________ plus de textos que de messages.
8. J'____________________ une rédaction pour mon cours de littérature.

13 Rewrite the following sentences in the **passé composé**.

1. Nous écrivons une belle lettre à mamie.

   ____

2. Qu'est-ce que tu lis avant de te coucher?

   ____

3. Marina lit un magazine de musique pop.

   ____

4. Moi, j'écris des textos à mes amis.

   ____

5. Monsieur Thomas, vous lisez une pièce de théâtre classique (*classical*)?

   ____

6. Les enfants lisent un conte avec leur baby-sitter.

   ____

7. Mes parents écrivent un blog sur l'environnement.

   ____

8. Tu lis un article sur Internet?

   ____

Nom et prénom: ______________________ Classe: ______________ Date: ______________

Leçon B
Vocabulaire

14 Put each instrument below in the correct category.

le violoncelle	le synthétiseur	le piano	le trombone	la flûte
la clarinette	le saxophone	la guitare	la batterie	le nay
le violon	le tambour	l'oud		

1. Les instruments à cordes:

____

____

____

____

2. Les instruments à vent:

____

____

____

____

____

3. Les instruments à percussion:

____

____

____

____

Nom et prénom: ______________________ Classe: ______________ Date: ______________

15 Write the name of the musical instruments depicted in the illustrations below.

1. ______________________________

2. ______________________________

3. ______________________________

4. ______________________________

5. ______________________________

6. ______________________________

7. ______________________________

8. ______________________________

9. ______________________________

16 Say what instruments the following people play well.

MODÈLE

Branford Marsalis

Branford Marsalis joue bien du saxophone.

1. Eric Clapton

2. Travis Barker

3. Elton John

4. Yo-Yo Ma

5. Joshua Bell

6. Miles Davis

1. ____

2. ____

3. ____

4. ____

5. ____

6. ____

Nom et prénom: ______________________ Classe: ______________ Date: ______________

17 Answer each of the following questions, using a complete sentence.

1. Joues-tu d'un instrument de musique?

____

2. De quels instrument doit-on jouer pour former un groupe de rock?

____

____

3. Quels instruments y a-t-il dans un groupe de jazz?

____

4. Qui joue de la clarinette dans ton lycée?

____

5. As-tu envie d'apprendre à jouer du nay?

____

6. Quels instruments y a-t-il dans un groupe de musique tunisien traditionnel?

____

7. Quel est ton instrument de musique préféré? Donnez une raison pour expliquer votre choix.

____

Culture

18 Answer the following questions according to the **Points de départ** in **Leçon B**.

1. Pourquoi la France et l'Algérie ont une histoire commune difficile?

____

2. Dans quels domaines le français est-il présent en Algérie aujourd'hui?

____

____

Continued on next page

3. Quels sites touristiques peut-on visiter en Algérie?

____

4. Qu'est-ce que le raï? Donnez une définition.

____

5. Qu'est-ce qui a changé dans la musique raï?

____

6. À quoi correspondent ces dates dans la carrière de Faudel?

1978: ____

1998: ____

1999: ____

2006: ____

Structure

19 Complete the following sentences with the correct form of the verb **savoir** in the present tense.

1. –Qu'est-ce que tu __________________ faire?
2. –Je __________________ jouer du piano avec deux mains.
3. –Qu'est-ce que vous __________________ bien faire?
4. –Nous __________________ bien jouer de la guitare électrique.
5. –Est-ce que tes cousines __________________ jouer d'un instrument de musique?
6. –Non, mais elles __________________ bien chanter.
7. –Qu'est-ce que ton meilleur ami __________________ faire?
8. –Il __________________ jouer du synthé.

Nom et prénom: ______________________ Classe: ______________ Date: ______________

20 Write questions and answers, using the correct forms of the verb **savoir**. Follow the **modèle**.

MODÈLE faire de la moto (toi)
Sais-tu faire de la moto?
Oui, **je sais faire de la moto.**

1. nager (Louis)

   ____

   Oui, ____

2. chanter (Pierre et toi)

   ____

   Non, ____

3. dessiner (ta mère)

   ____

   Oui, ____

4. faire la cuisine (toi)

   ____

   Non, ____

5. télécharger de la musique (Rachid et Kumba)

   ____

   Oui, ____

6. prendre le métro (toi)

   ____

   Oui, ____

7. conduire une voiture (ton frère et toi)

   ____

   Non, ____

8. jouer du saxo (le prof de musique)

   ____

   Oui, ____

Nom et prénom: ____________________ Classe: ______________ Date: ______________

21 Complete the following sentences, using the correct form of the verb **connaître** in the present tense.

1. –Tu ____________________ l'acteur qui joue dans le dernier film de Rachid Bouchareb?

   –Oui, je le ____________________ un peu.

2. –Les enfants, vous ____________________ cette musique?

   –Non, nous ne la ____________________ pas.

3. –Marianne ____________________ cette chanson de Stromae?

   –Oui, elle la ____________________ assez bien.

4. –Dis, tu ____________________ ce film comique?

   –Non, je ne le ____________________ pas.

5. –Est-ce que ta famille ____________________ le président de la République?

   –Non, elle ne le ____________________ pas.

6. –Toi et moi, ____________________-nous des musiciens célèbres?

   –Oui, nous ____________________ le groupe La Casa.

7. –Est-ce que papa ____________________ bien cette ville du Maroc?

   –Oui, il la ____________________ depuis quinze ans.

8. –Est-ce que je ____________________ ce monsieur, maman?

   –Oui, tu le ____________________, c'est ton grand-oncle!

22 Complete the following sentences, using the correct present-tense form of the verb **connaître** or **savoir**.

1. David ne ____________________ pas bien la ville de Nice.
2. Si, je ____________________ faire le problème de maths.
3. Tu ____________________ jouer de la batterie, toi?
4. Qui ne ____________________ pas le chanteur Faudel?
5. Vous ne ____________________ pas assez bien la musique classique.
6. Paul et toi, vous ____________________ assez bien jouer de la flûte.
7. Cette chanteuse ____________________ bien la chanson d'Édith Piaf.
8. Les Français ____________________ comment aller à Genève en bateau.

Nom et prénom: ______________________ Classe: ______________ Date: ______________

Leçon C

Vocabulaire

23 Identify the gender of the words below by writing the correct indefinite article.

1. __________ bijou
2. __________ sac à main
3. __________ montre
4. __________ boucle d'oreille
5. __________ foulard
6. __________ ceinture
7. __________ bracelet
8. __________ collier
9. __________ portefeuille
10. __________ sandale

24 Write as many items as possible under the categories below. Refer to the vocabulary in **Leçon C**.

Les accessoires	Les bijoux

Nom et prénom: ______________________ Classe: ______________ Date: ______________

25 Use the vocabulary words below to describe what the following items are made of. There may be more than one possibility.

cuir velours lin diamant coton laine soie

MODÈLE une écharpe **en soie, en laine, en velours**

1. un collier ______________________________
2. un portefeuille ______________________________
3. un pyjama ______________________________
4. un bracelet ______________________________
5. un bonnet ______________________________
6. un mouchoir ______________________________
7. un peignoir ______________________________
8. des sandales ______________________________
9. une montre ______________________________
10. un foulard ______________________________

26 Describe what the character in the illustration below is wearing. List as many accessories as possible.

____
____
____
____
____
____
____

Nom et prénom: ________________ Classe: ____________ Date: ____________

Culture

27 Below are samples from a letter for a job position. Circle the sentences that do not follow a formal register. Refer to the **Points de départ** in **Leçon C**.

1. Cher monsieur Durand,
2. Je vous remercie du rendez-vous que vous m'avez accordé.
3. C'est sympa de m'accepter pour le stage.
4. Je suis sûr que ce stage m'apportera beaucoup pour mon avenir professionnel.
5. Vous savez, je travaille très bien et j'ai beaucoup d'amis.
6. Je me réjouis de vous revoir.
7. Salut,
8. Je vous prie d'agréer, Monsieur le Directeur, mes salutations distinguées.

28 Describe what the following dates pertain to in the history of Tunisia. Refer to the **Points de départ** in **Leçon C**.

1. 814 à 146 avant l'ère courante

   ____

2. 1886 à 1956

   ____

3. depuis 1956

   ____

4. 1957 à 1987

   ____

5. 2011

   ____

Nom et prénom: ______________________ Classe: ______________ Date: ______________

29 Answer the following questions about Tunisia today. Refer to the **Points de départ** in **Leçon C**.

1. Où se trouve la Tunisie?

   ____

2. Combien de kilomètres séparent la Tunisie de l'Europe?

   ____

3. Les femmes ont-elles le droit de travailler, en Tunisie?

   ____

4. Quel pourcentage de la population universitaire sont des femmes?

   ____

5. Qu'est-ce qu'un souk?

   ____

6. Quelles sortes de produits y trouve-t-on?

   ____

7. Que veut dire "marchander"?

   ____

8. Comment est l'ambiance d'un souk?

   ____

Nom et prénom: ________________________ Classe: _______________ Date: _______________

Structure

30 Complete the following questions and answers with the correct form of the verb **recevoir** in the present tense.

1. –Qu'est-ce que vous ______________________ de Tunisie?

   –Je ______________________ un foulard en soie.

2. –Qu'est-ce que tu ______________________ de ta tante allemande?

   –Je ______________________ un pyjama en lin de Baden-Baden.

3. –Qu'est-ce que les enfants ______________________ de leurs grands-parents?

   –Ils ______________________ des chocolats suisses.

4. –Angèle et Sophie, vous ______________________ des bijoux de vos parents pour Noël?

   –Oui, nous ______________________ des boucles d'oreille et un collier en perles.

5. –Est-ce qu'on ______________________ beaucoup de cadeaux chez toi?

   –Non, on ne ______________________ pas beaucoup de cadeaux.

6. –Mme Laberge ______________________ une bague en diamant de son fiancé?

   –Oui, et moi, je ______________________ un sac à main de mon copain.

31 Fill in the blanks with the verb **recevoir** in the **passé composé**.

1. Angélique ______________________ de belles boucles d'oreille.
2. Mon père et ma mère ______________________ de beaux cadeaux.
3. Et toi, Alain, tu ______________________ quelque chose?
4. Ma sœur et moi, nous ______________________ les mêmes cadeaux!
5. Mademoiselle Lemec, vous ______________________ un peignoir en velours?
6. Mon frère ______________________ un bonnet en laine l'année dernière.
7. Moi, j'______________________ une montre en or.
8. Vraiment, on ______________________ beaucoup de bijoux cette année.

Nom et prénom: ______________________ Classe: ______________ Date: ______________

32 Answer the following questions using the verb **recevoir**.

1. Qu'est-ce que tu as reçu pour ton dernier anniversaire?

____

2. Est-ce que tu penses que tes frères et sœurs reçoivent plus de cadeaux que toi?

____

3. Est-ce que tes parents ont reçu un cadeau par la poste récemment?

____

4. Qu'est-ce que tes amis reçoivent pour Noël?

____

5. Ta mère et toi, vous recevez des fleurs quelquefois?

____

6. Quel cadeau aimerais-tu recevoir pour ton anniversaire?

____

33 Complete the following questions and answers with the correct form of the verb **ouvrir** in the present tense.

1. –Alors, tu ______________________ cette lettre?

   –Oui, je l'______________________ tout de suite.

2. –Karim et Gabriel, vous ______________________ la voiture s'il vous plaît?

   –Oui, nous l'______________________ avec la clé.

3. –Mila et Aïcha ______________________ leurs cadeaux?

   –Oui, elles les ______________________ en ce moment.

4. –Quand est-ce que la ville ______________________ la nouvelle médiathèque?

   –Elle l'______________________ dans un mois.

5. –Quand est-ce que les nouveaux pâtissiers ______________________ leur pâtisserie?

   –Ils l'______________________ dans une semaine.

6. –C'est toi qui ______________________ la boîte de thon?

   –Oui, je l'______________________ pour faire la salade.

34 Say what the following people are opening (present tense) or have opened (past tense). Follow the **modèles**.

MODÈLES Karim/une bouteille de coca/hier soir
Karim a ouvert une bouteille de coca hier soir.

Nous/une bouteille d'eau/maintenant
Nous ouvrons une bouteille d'eau maintenant.

1. les élèves de la classe de français/le livre/à 9h00 hier matin

   ____

2. Rahina/un cadeau/la veille (*eve*) de Noël

   ____

3. M. et Mme Lelong/une surprise/hier matin

   ____

4. toi/la fenêtre/en classe chaque jour

   ____

5. Sandrine et moi/un blog pour les étudiants américains/la semaine dernière

   ____

6. Jérémy et Karine/leur cœur pour leur nouveau petit frère/hier soir

   ____

7. Sid et toi/la porte de la classe/pour la prof aujourd'hui

   ____

8. vous/une lettre mystérieuse/le jour de la Saint-Valentin

   ____

Nom et prénom: ______________________ Classe: ______________ Date: ______________

Unité 7: En province

Leçon A

Vocabulaire

1 Match each vocabulary term to the correct food illustration.

1. _____

2. _____

3. _____

4. _____

5. _____

6. _____

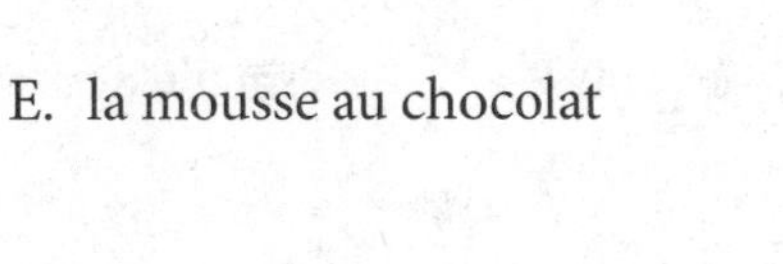

A. la terrine de saumon

B. la choucroute garnie

C. les escargots

D. le bœuf bourguignon

E. la mousse au chocolat

F. la crème caramel

G. les crudités

H. le coq au vin

I. le potage

J. le plateau de fromages

K. la salade avec de la vinaigrette

7. _____

8. _____

9. _____

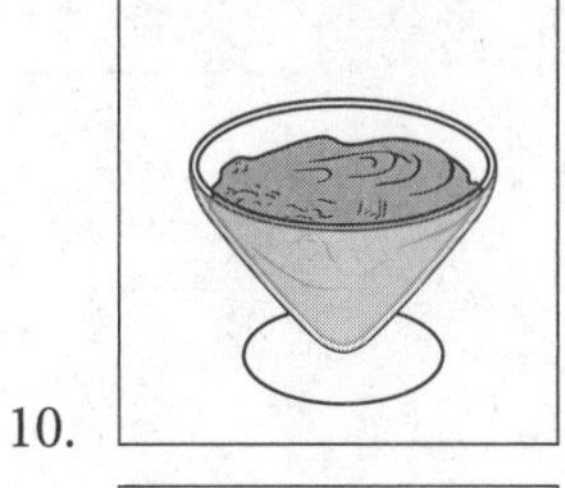

10. _____

11. _____

Nom et prénom: ______________________ Classe: ______________ Date: ______________

2 Circle the word that does not belong with the others.

1. le potage, le bœuf bourguignon, les crudités
2. la salade, les crudités, le coq au vin
3. le coq au vin, le bœuf bourguignon, la crème caramel
4. la choucroute garnie, la terrine de saumon, les escargots
5. le fromage, le coq au vin, la salade
6. les escargots, la terrine de saumon, le fromage
7. les crudités, la crème caramel, la mousse au chocolat

3 You have a job interview at Chez Gusteau's restaurant. Chef Skinner wants to test your knowledge of French cuisine. She asks you to catagorize the following menu items.

coq au vin	mousse au chocolat	camembert	potage
bœuf bourguignon	escargots	choucroute garnie	salade de tomates
terrine de saumon	crudités	salade avec vinaigrette	crème caramel

1. entrées: ____
2. plats principaux: ______________________________________
3. salades: ____
4. fromages: ____
5. desserts: ____

Nom et prénom: ______________________ Classe: ______________ Date: ______________

4 Congratulations! You passed the first round of interviews! Now Chef Skinner wants to put you to a more challenging task. Put the following dishes into the correct categories below. Watch out, there may be more than one possibility per item.

potage de champignons poulet de campagne escargots de Bourgogne terrine de saumon
bœuf aux carottes bœuf bourguignon crème caramel crème brûlée
mousse au chocolat fromage bleu plateau de crudités coq au vin
salade de tomates avec vinaigrette courgettes choucroute alsacienne

1. entrées: ____

____

2. plats principaux: ____

____

3. salades: ____
4. fromages: ____
5. desserts: ____
6. viandes: ____

____

7. poissons: ____
8. légumes: ____
9. plats chauds: ____

____

10. plats froids: ____

____

____

Nom et prénom: ______________________ Classe: ______________ Date: ______________

Culture

5 Answer the following questions about **Alsace**. Refer to the **Points de départ** in **Leçon A**.

1. L'Alsace est située à la frontière (*border*) de quel pays? ______________________
2. Pourquoi l'Alsace est-elle une région particulière dans l'histoire de France?

   ____
3. Comment s'appelle le dialecte de l'Alsace? ______________________
4. Ce dialecte se parle-t-il dans les domaines publics?

   ____
5. Qu'est-ce qui fait la force économique de l'Alsace?

   ____
6. Quelles sont les villes principales de l'Alsace? ______________________
7. Quels sites touristiques peut-on voir à Colmar?

   ____
8. Qu'est-ce que la ville de Strasbourg a de particulier?

   ____

   ____
9. Qu'est-ce que "la Petite France"? ______________________

6 Answer the following questions about **Kabylie**. Refer to the **Points de départ** in **Leçon A**.

1. Qu'est-ce que la Kabylie?

   ____
2. Comment s'appellent les Kabyles aujourd'hui?

   ____
3. Quelles sont les ressources économiques de la Kabylie?

   ____
4. Où peut-on faire du ski en Kabylie?

   ____
5. Dans quelle ville peut-on voir des vestiges romains? ______________________

Nom et prénom: ______________________ Classe: ______________ Date: ______________

Structure

7 Connect the following sentences with the relative pronoun **qui**.

> **MODÈLE** Le potage est une entrée. Cette entrée est chaude.
> **Le potage est une entrée qui est chaude.**

1. Julie mange la mousse au chocolat. La mousse au chocolat est délicieuse.

   ____

2. J'aime le gâteau. Le gâteau est au chocolat.

   ____

3. Ma famille adore la choucroute. La choucroute est une spécialité alsacienne.

   ____

4. Tu aimes bien le bœuf bourguignon? Le bœuf bourguignon est une spécialité de la Bourgogne.

   ____

5. Mon petit frère préfère la mousse. La mousse est à la vanille.

   ____

6. Pierre et Salim mangent des figues. Les figues sont une spécialité de la Kabylie.

   ____

7. Maman prépare des escargots. Les escargots sont sa spécialité.

   ____

8. Vous attendez le moment du repas. Le moment du repas est votre moment préféré.

   ____

Nom et prénom: ______________________ Classe: ______________ Date: ______________

8 Connect the following sentences with the relative pronoun **qui**.

MODÈLE On a visité un château dans la ville de Blois. Le château est assez vieux.
On a visité un château qui est assez vieux dans la ville de Blois.

1. J'habite un appartement. L'appartement est situé à Montmartre.

   ____

2. Mon oncle connaît un restaurant dans le quartier de la Petite France. Ce restaurant offre une cuisine alsacienne.

   ____

   ____

3. J'ai choisi un métier parce que j'aime travailler. Ce métier est difficile.

   ____

4. Mon père travaille avec un ami dans une compagnie d'électricité. Son ami est très énergique.

   ____

5. Mon petit frère préfère la mousse parce qu'il n'aime pas le chocolat. La mousse est à la vanille.

   ____

6. Toi et moi, nous avons regardé un film hier soir. Le film était très drôle.

   ____

7. J'ai rencontré un garçon à Montmartre. Le garçon est très doué en peinture.

   ____

8. Je lis un article dans le journal de *L'équipe*. L'article est très intéressant.

   ____

Nom et prénom: ____________________ Classe: ______________ Date: ______________

9 Connect the following sentences with the relative pronoun **que**.

MODÈLE Julien mange le repas. J'ai préparé le repas.
Julien mange le repas que j'ai préparé.

1. Tu vas au restaurant. Tu connais bien ce restaurant.

____

2. Rose invite des amis. Nous connaissons ses amis.

____

3. Rachida préfère la musique. Tu écoutes la musique.

____

4. Mathieu voudrait le plat d'escargots. Tu commandes le plat d'escargots.

____

5. Valérie choisit le dessert. Son copain aime le dessert.

____

6. Louis voudrait le numéro de téléphone du restaurant. Tu aimes beaucoup ce restaurant.

____

7. Emilie n'aime pas la brasserie. Tu fréquentes la brasserie depuis deux mois.

____

8. Nous apportons un coq au vin. Ma femme a préparé le coq au vin.

____

Nom et prénom: ______________________ Classe: ______________ Date: ______________

10 Connect the following sentences with the relative pronoun **que**. Remember to make the appropriate agreement with the preceding direct object in the **passé composé**.

MODÈLE Rose aime la tarte aux pommes. Tu as acheté la tarte aux pommes à la pâtisserie.
Rose aime la tarte aux pommes que tu as achetée à la pâtisserie.

1. Tu portes de nouvelles chaussures. Tu as acheté ces chaussures au centre commercial.

 ____

2. C'est une vidéo du concert. Nous avons vu ce concert la semaine dernière.

 ____

3. Nous écrivons un devoir pour le cours d'anglais. La prof nous a donné le devoir hier.

 ____

4. J'ai joué un rôle dans la pièce de théâtre. Tu as vu la pièce de théâtre avec tes parents.

 ____

5. Tu connais une fille sympa. Pierre voudrait bien rencontrer cette fille.

 ____

6. Les enfants ont choisi un ordinateur très cher. Leur père ne voulait pas acheter cet ordinateur.

 ____

7. Moi, je mange une bonne salade verte. Ma meilleure amie a préparé la salade.

 ____

8. M. et Mme Laffont lisent une histoire pour enfants. Mme Laffont a écrit cette histoire.

 ____

Nom et prénom: ______________________ Classe: ______________ Date: ______________

11 Fill in the blanks with the relative pronoun **qui** or **que**.

1. Julie rend visite à ses amis __________ habitent à Strasbourg.
2. Ses amis, __________ ont quitté Paris, sont étudiants à Strasbourg.
3. L'amie __________ Julie connaît le mieux étudie les lettres.
4. Julie visite la ville __________ elle trouve très belle.
5. Elle passe la soirée dans un club __________ ses amis connaissent bien.
6. Elle rencontre des jeunes gens __________ viennent de tous les pays d'Europe.
7. Elle est très contente de la soirée __________ elle a passée.

12 Give a command to your little sister, using the partitive article **du**, **de la**, **de l'**, or **des**.

MODÈLE prendre/salade
Prends de la salade!

1. acheter/fruits

   ____

2. manger/pain frais

   ____

3. boire/jus de pamplemousse

   ____

4. préparer/bœuf bourguignon avec moi

   ____

5. acheter/eau minérale

   ____

6. faire/crème pour le gâteau

   ____

7. manger/yaourts aux fraises

   ____

Nom et prénom: _______________ Classe: ___________ Date: ___________

13 Answer the following questions negatively. Follow the **modèle**.

MODÈLE As-tu déjà goûté du Nutella sur un croissant?
Non, je n'ai jamais goûté de Nutella sur un croissant.

1. Est-ce que tu mets des œufs dans la salade niçoise?

____

2. Tes parents prennent-ils du café avec leur déjeuner?

____

3. Les Français mangent-ils de la confiture avec leurs omelettes?

____

4. Chez toi, vous mangez souvent du bœuf?

____

5. Est-ce qu'on mange des escargots à la cantine de ton lycée?

____

6. Ta mère et toi, vous cuisinez du bœuf bourguignon le dimanche?

____

7. Est-ce que tu mets du sucre sur tes crêpes?

____

8. En général, bois-tu du coca après le dîner?

____

Nom et prénom: ______________________ Classe: _____________ Date: _____________

14 Answer the following questions in relation to your own life, using the pronoun **en**.

MODÈLE Sais-tu faire une quiche lorraine?
Oui, je sais en faire.
or
Non, je ne sais pas en faire.

1. Voudrais-tu faire du ski dans les Alpes?

____

2. Peux-tu manger trois kilos de saucisses?

____

3. Tes amis aiment-ils faire de la cuisine avec toi?

____

4. As-tu déjà mangé des escargots?

____

5. Ton restaurant préféré sert-il du coq au vin?

____

6. Dans ta famille, mettez-vous beaucoup de sirop d'érable sur vos crêpes?

____

7. Est-ce que tu as déjà préparé une terrine de saumon?

____

8. Servez-vous du fromage au dîner chez toi?

____

Nom et prénom: ______________________ Classe: ______________ Date: ______________

Leçon B
Vocabulaire

15 Modify the following nouns with the correct form of the adjective. Follow the **modèle**.

MODÈLE Bourgogne: un bœuf, la cuisine
un bœuf bourguignon, la cuisine bourguignonne

1. l'Alsace: une cathédrale, un plat

   ____

2. la Bretagne: un gâteau, une côte

   ____

3. la Provence: une maison, un village

   ____

4. la Touraine: un chemin, une ferme

   ____

5. le Lyonnais: un repas, une spécialité

   ____

6. la Normandie: une vallée, un peintre

   ____

7. la région parisienne: un musée, une tour

   ____

8. la Gascogne: une brasserie, un roman

   ____

Nom et prénom: ______________________ Classe: ______________ Date: ______________

16 Put the following types of landscape in their corresponding categories.

un chemin	une maison	une falaise
une côte	une tour	un port
un château	un immeuble	un champ
une route	un fleuve	un océan

un paysage naturel	**un paysage créé par l'homme**

Nom et prénom: ______________ Classe: ______________ Date: ______________

17 Write which region the following people are from according to the city where they live.

MODÈLE Patricia habite à Pau.
Elle est gasconne.

1. Alain habite à Pau.

____

2. David vient de Strasbourg.

____

3. Amélie arrive de Rouen.

____

4. Anne vient de Quimper.

____

5. Jamel et Kalid habitent à Paris.

____

6. Zinédine et Emma viennent de Marseille.

____

7. Nous arrivons de Tours.

____

8. Mademoiselle Bernos, vous habitez à Lyon.

____

Nom et prénom: ______________________ Classe: ______________ Date: ______________

Culture

18 Complete the following activities about Normandy. Refer to the **Points de départ** in **Leçon B**, and do research online.

1. Imaginez une balade au bord de la mer dans différents ports et cités balnéaires. Faites un itinéraire. Décrivez rapidement les lieux.

____

____

____

____

2. La Normandie est une terre de culture. Choisissez un peintre, un musicien ou un écrivain et présentez son œuvre. Partagez votre présentation sur le site internet de la classe.

____

____

____

____

3. Caen, Le Havre, Rouen. Choisissez une de ces villes et établissez sa fiche d'identité historique, urbanistique, touristique, économique et culturelle.

____

____

____

____

4. La Normandie est une terre de conquérants. Racontez l'une de ces conquêtes; expliquez quelles traces de cette culture étrangère on peut trouver en Normandie aujourd'hui.

____

____

____

____

Structure

19 Rewrite the following questions, using **qui est-ce qui**.

MODÈLE Qui est né à Colmar?
Qui est-ce qui est né à Colmar?

1. Qui est parisien mais habite en Provence?
____
2. Qui se lave avec du savon de Marseille?
____
3. Qui te parle des États-Unis?
____
4. Qui est lyonnais dans la salle?
____
5. Qui a traversé le fleuve d'Alsace en bateau?
____
6. Qui a rencontré ce jeune Gascon?
____
7. Qui connaît une falaise bretonne?
____
8. Qui a préparé cette recette bourguignonne?
____

Nom et prénom: ______________________ Classe: ______________ Date: ______________

20 Rewrite the following questions, using **qu'est-ce que**. Follow the **modèle**.

MODÈLE Que veux-tu, Patrick?
Qu'est-ce que tu veux, Patrick?

1. Que demande ton professeur de maths?

____

2. Que désirez-vous faire cette après-midi?

____

3. Que connaissez-vous de la campagne tourangelle?

____

4. Que préfèrent les étudiants universitaires?

____

5. Qu'aimes-tu visiter quand il pleut?

____

6. Que disent tes parents au téléphone?

____

7. Que font les touristes quand ils visitent la cathédrale?

____

8. Qu'as-tu mangé ce matin au petit déjeuner?

____

21 Ask questions using **qui**, **que**, **qui est-ce qui**, **qui est-ce que**, **qu'est-ce qui** or **qu'est-ce que**.

MODÈLE Jamel est un Français d'origine marocaine.
Qui est Jamel?

1. Guillaume le Conquérant a possédé l'Angleterre.

____

2. Eric Satie est né à Honfleur.

____

3. Claude Monet a peint les falaises d'Étretat.

____

4. Montparnasse était le quartier des peintres dans les années 1920.

____

5. Les Anglais ont brûlé Jeanne d'Arc à Rouen.

____

6. Le comité régional a organisé l'exposition de peinture.

____

7. Les habitants de Quimper ont découvert une nouvelle falaise bretonne.

____

8. Mes meilleurs amis sont partis en vacances en Normandie.

____

9. Personne ne vient à la teuf.

____

10. Je ne suis jamais allé à Rouen.

____

Nom et prénom: ______________________ Classe: ______________ Date: ______________

22 You are going on a date with a French student that you like and want to get to know better. Prepare questions to ask him or her using **qui, que, qui est-ce qui, qui est-ce que, qu'est-ce qui,** or **qu'est-ce que**.

MODÈLE écouter comme musique
Qu'est-ce que tu écoutes comme musique?

1. aller voir en concert

____

2. regarder à la télé le weekend

____

3. ne pas aimer comme actrice

____

4. mettre pour aller à une teuf

____

5. t'apprendre à jouer du piano

____

23 Transform the following sentences into questions using objects of prepositions. Follow the **modèle**.

MODÈLE Malika réussit à son examen.
À quoi réussit Malika?

1. Nous pensons à nos devoirs.

____

2. Tu parles au prof.

____

3. Les Vacher réfléchissent à leur voyage.

____

4. Damien pense à sa copine.

____

Nom et prénom: ______________________ Classe: ______________ Date: ______________

Leçon C
Vocabulaire

24 Here is a menu from Chez Gusteau's restaurant with the descriptions of the items missing. Write the correct name of the dishes and beverages underneath the illustrations.

une crêpe au chocolat	une galette forestière	un diabolo menthe
une crêpe au sucre	une galette jambon-fromage	un jus de pomme

Nom et prénom: ______________________ Classe: ______________ Date: ______________

25 Match each description of the crêpes in the left column with the correct name of the crêpes in the right column.

1. crêpe bretonne avec des champignons et des oignons
2. crêpe avec des fraises et du Nutella
3. crêpe avec de la confiture d'orange
4. crêpe bretonne avec du jambon, du fromage, des champignons, des oignons, de la crème
5. crêpe bretonne avec des courgettes et du fromage
6. crêpe avec de la glace à la vanille, du chocolat, et de la crème Chantilly (*whipped cream*)
7. crêpe bretonne avec du saumon
8. crêpe bretonne avec du jambon, des oignons, et du fromage
9. crêpe bretonne avec du jambon, des œufs, et des oignons

A. galette forestière
B. galette jambon-fromage
C. galette œufs et jambon
D. crêpe à la confiture
E. crêpe à la glace
F. galette de courgettes
G. galette Nordique
H. crêpe au Nutella
I. galette aux champignons

Nom et prénom: ________________________ Classe: _______________ Date: _______________

26 Waiters at Chez Gusteau's must observe the customers' tastes. For each customer, make suggestions of what crêpe, galette, or drink would best suit his or her needs.

MODÈLE Mme Marin déteste les œufs et est végétarienne.
Vous avez fait votre choix? Désirez-vous une galette aux champignons ou à la ratatouille?

1. Amandine n'aime pas le chocolat mais veut un dessert.

   ____

2. M. Rascal a très faim. Il veut le plus de choses possibles dans sa crêpe, et surtout de la viande.

   ____

3. Diana adore le fromage, mais elle n'aime pas les champignons.

   ____

4. Alex préfère le poisson et la cuisine du Nord.

   ____

5. Les enfants adorent le sucre et surtout le chocolat.

   ____

6. Anton Ego n'a pas faim. Il est allergique aux pommes.

   ____

27 Cuisine is like art: you mix textures, colors, and flavors. Make your own trademark crêpe. Write all the ingredients you wish to use and give it a creative name. Use a minimum of four ingredients and write a minimum of four sentences.

MODÈLE **Je vais faire une galette. D'abord, je vais mettre du poulet…**

____

____

____

____

____

____

Nom et prénom: ______________________ Classe: ______________ Date: ______________

Culture

28 Fill in the blanks with the correct vocabulary words. You may wish to refer to the **Points de Départ** in **Leçon C**.

un dortoir — auberge internationale — un lit superposé — une crêpe au sucre — la Fédération unie des auberges de jeunesse

à la FUAJ

Bienvenue à (1) ____!

Nous vous proposons (2) ____

très spacieux et propre. Vous pouvez vous reposer et dormir confortablement dans

(3) ____. Le matin, nous

vous offrons le café avec (4) ____,

tarif compris. Notre équipe est très sociable et vous vous amuserez bien car nous sommes la

meilleure (5) ____.

29 Answer the following questions about Brittany. Refer to the **Points de départ** in **Leçon C**.

1. Où se situe la Bretagne?

____

2. Qu'est-ce qui fait l'originalité culturelle de la Bretagne?

____

3. Quelles sont les principales activités économiques de la Bretagne?

____

4. Où est situé Saint-Malo?

____

5. Qu'est-ce qui fait l'attrait touristique de Saint-Malo?

____

6. Quelles sont les spécialités culinaires de la Bretagne?

____

Nom et prénom: ______________________ Classe: ______________ Date: ______________

30 Answer the following questions about youth hostels in France. Refer to the **Points de départ** in **Leçon C**.

1. Que signifie l'acronyme FUAJ?

____

2. Qu'est-ce qu'une carte FUAJ?

____

3. Quelles sortes de personnes fréquentent les auberges de jeunesse?

____

4. Comment sont les chambres?

____

5. Peut-on manger dans les auberges de jeunesse?

____

6. Ces auberges sont-elles typiquement françaises?

____

Structure

31 Use the correct stress pronouns to complete the sentences below.

MODÈLE Béatrice, **elle**, elle est bretonne.

1. Ah, ____________, je suis alsacien.
2. Monsieur Goulard, ____________, vous êtes normand, n'est-ce pas?
3. Et ____________, les filles là-bas, elles sont anglaises?
4. Pierre, ____________, tu es parisien.
5. Ben oui, ____________, nous sommes tourangeaux.
6. Rachid, ____________, il est gascon.
7. Mais Jamel et Antoine, ____________, ils sont provençaux.
8. Mon père, ____________, il est lyonnais.

Nom et prénom: ______________________ Classe: ______________ Date: ______________

32 Answer the following questions, following the **modèle**.

MODÈLE Le footballeur, c'est Thierry Henry?
Oui, c'est lui.

1. L'actrice, c'est Marion Cotillard?

____

2. Ton acteur préféré, c'est Jean Dujardin?

____

3. Les chanteurs du concert, ce sont Faudel et Daddy Nuttea?

____

4. Le réalisateur qui a reçu un oscar, c'est Michel Hazanavicius?

____

5. La journaliste de cette émission, c'est Audrey Pulvar?

____

6. Les romancières qui vont participer à la conférence, ce sont Nina Bouraoui et Maryse Condé?

____

7. Ton professeur de lettres modernes, c'est Bernard Cerquiglini?

____

8. Les chanteurs de ce groupe, ce sont Joey Starr et Kool Shen?

____

Nom et prénom: ______________________ Classe: ______________ Date: ______________

33 Answer the following questions beginning with the cue provided.

1. C'est Robert, là-bas?

   Non, ____

2. Regarde le garçon qui fait du bateau. C'est Daniel?

   Oui, ____

3. Et les filles, sur la plage. Ce sont Cristina et Rachida?

   Oui, ____

4. C'est Paul qui cherche à louer des skis nautiques?

   Non, ____

5. Mais regarde bien, ce ne sont pas Paul et Robert en haut de la falaise?

   Non, ____

6. C'est Lise qui a téléphoné?

   Oui, ____

7. Tes nouvelles amies, ce sont Charlotte et Raphaëlle?

   Non, ____

8. Qui a pris le sac du pique-nique, c'est toi et Mattéo?

   Oui, ____

34 Complete the following paragraph with the correct stressed pronouns.

(1) ____________, j'adore la Normandie! Hier Robert et (2) ____________, nous sommes allés faire une randonnée aux falaises d'Étretat. J'ai regardé le paysage mais (3) ____________, il a pris beaucoup de photos. Après, (4) ____________ et (5) ____________, nous avons rencontré deux américaines. Elles nous ont invités chez (6) ____________ à manger des galettes. (7) ____________, elles sont super drôles, passionnées par la région. (8) ____________, nous sommes des nuls en histoire. (9) ____________, elles connaissent tout. Demain, Robert et (10) ____________, on va les recevoir chez (11) ____________.

Nom et prénom: ______________________ Classe: ____________ Date: ____________

Unité 8: Les Antilles

Leçon A

Vocabulaire

1 Put the following plants and animals in the correct categories.

un raton laveur	une chauve-souris	un ananas montagne	une mangouste
un balisier	un anoli	un ramier	une grive
une orchidée	un colibri	un hibiscus	une tortue marine

1. Les oiseaux:

____

2. Les fleurs:

____

3. Les espèces marines:

____

4. Les mammifères:

____

5. Les reptiles:

____

Nom et prénom: ______________________ Classe: ______________ Date: ______________

2 Write the word that corresponds to each description.

1. un oiseau bleu et gris: ____________________________
2. une longue fleur rouge qui pousse dans les montagnes: ____________________________
3. un petit oiseau marron et blanc: ____________________________
4. un animal avec des cercles noirs autour des yeux: ____________________________
5. un lézard vert: ____________________________
6. un oiseau avec un long bec (*beak*): ____________________________
7. une fleur rouge ou jaune avec beaucoup de pointes: ____________________________
8. un animal qui est gros et moche et ressemble à un oiseau: ____________________________
9. une grosse fleur douce au toucher: ____________________________
10. un insecte (*insect*) qui vole (*flies*) et peut avoir beaucoup de couleurs:

    ____
11. un animal qui marche, est de taille moyenne, et mange des serpents:

    ____
12. un animal qui est de taille moyenne et nage dans la mer: ____________________________
13. une fleur avec beaucoup de petites fleurs: ____________________________

3 Match the verbs in the left column with the corresponding phrases in the right column. Number 3, faire, will have four answers.

1. prendre	A. une randonnée à pied
2. pique-niquer	B. du scooter des mers
3. faire	C. les oiseaux avec des jumelles
4. pêcher	D. sur la plage
5. observer	E. du kayak dans une mangrove
	F. des poissons
	G. les chutes d'eau en photo
	H. de la plongée sous-marine

Nom et prénom: ______________________ Classe: ______________ Date: ______________

4 Write complete sentences to describe what the people are doing in the illustrations below.

MODÈLE  **Elle prend les chutes d'eau en photo.**

1. ____

2. ____

3. ____

4. ____

5. ____

6. ____

Nom et prénom: ______________________ Classe: ______________ Date: ______________

5 Fill in the blanks in the text below.

Belle excursion dans le parc national de la Guadeloupe: on passe ses journées à (1) __________________ des photos et à (2) __________________ des poissons multicolores, pendant que nos enfants nagent à côté des (3) __________________ marines. Avec ses (4) __________________, Magali observe les papillons et les oiseaux, surtout les petites (5) __________________. Hier, nous avons fait une (6) __________________ dans la forêt tropicale. Nous avons fait une promenade parmi (*amidst*) les (7) __________________ suspendues et nous avons vu une (8) __________________, elle mangeait un serpent mais elle a eu peur de nous! Enfin, nous avions faim, alors nous sommes retournés à la plage pour (9) __________________.

Culture

6 Circle **vrai** if the following statements are true, and **faux** if they are false. Refer to the **Points de départ** in **Leçon A**.

1. La Guadeloupe est composée de deux îles. VRAI FAUX
2. La Soufrière est un volcan en activité. VRAI FAUX
3. Port-Louis est la capitale de la Guadeloupe. VRAI FAUX
4. Les habitants de la Guadeloupe sont noirs. VRAI FAUX
5. La banane est l'une des principales exportations de la Guadeloupe. VRAI FAUX
6. La Guadeloupe produit peu de sucre. VRAI FAUX
7. Les revenus de l'île viennent principalement du tourisme. VRAI FAUX
8. La Guadeloupe est un département français. VRAI FAUX

7 Answer the following questions, using complete sentences. Refer to the **Points de départ** in **Leçon A**.

1. You have decided to spend a day with your class at **le parc national de la Guadeloupe**. Create the schedule for the park outing in French.

____

____

____

____

2. You will visit the Memorial ACTe, the Great Slavery Museum and the Center for the Expression and Memory of the Slave Trade in the Caribbean. Create a mini presentation of the Center in French. Use the Internet to help you with your research.

____

____

____

____

Structure

8 Complete the following sentences with the correct form of the verb **vivre** in the present tense.

1. –Où ______________-vous, Monsieur et Madame Mouizi?
2. –Moi, je ______________ à Pointe-à-Pitre depuis quinze ans.
3. –Et toi et Lilian, vous ______________ près de la Soufrière?
4. –Mes grands-parents ______________ toujours à Port-Louis.
5. –Et Jacques, il ______________ où, lui?
6. –Jacques et sa sœur ______________ sur l'île de Basse-Terre.
7. –Dis-moi, tu ______________ dans la capitale depuis quand?
8. –Eh bien, nous ______________ plus loin de la mer maintenant.

Nom et prénom: ______________ Classe: ______________ Date: ______________

9 Say where the following people live according to their regional identity. Follow the **modèle**.

MODÈLE Bernard est alsacien.
Il vit en Alsace.

1. Ludovic est breton.

____

2. Nous sommes parisiennes.

____

3. Les Paoli sont provençaux.

____

4. Tu es lyonnais.

____

5. Jean et toi, vous êtes normands.

____

6. Françoise est tourangelle.

____

7. Les Batho sont gascons.

____

8. Et vous, vous êtes tourangeaux.

____

Nom et prénom: ______________________ Classe: ______________ Date: ______________

10 Express at what time the following people experienced their youth. Follow the **modèle**.

MODÈLE mon grand-père et ma grand-mère/1950
Mon grand-père et ma grand-mère ont vécu leur jeunesse dans les années 1950.

1. mon arrière-grand-père (*great-grandfather*)/1930

____

2. ma grand-tante (*great-aunt*)/1960

____

3. mes parents/1970

____

4. ma cousine/1980

____

5. moi/2000

____

6. toi/2010

____

7. ma sœur et moi/1990

____

8. ton frère et toi/2000

____

Nom et prénom: ________________________ Classe: _______________ Date: _______________

11 Answer the following questions affirmatively. Use the pronoun **y**.

MODÈLE Tu étais en Bretagne l'an dernier?
Oui, j'y étais.

1. Alors, Lucas, tu vis en Corse toute l'année?

____

2. Les Maribaud vont toujours en Guadeloupe cet été?

____

3. Et toi, tu habites à Paris?

____

4. Cette année, nous restons en Algérie?

____

5. Ton correspondant est toujours à Montmartre?

____

6. Pierre et toi, vous conduisez à Lyon demain?

____

7. On va au match de foot ce weekend?

____

8. Et moi alors, je reste à la maison?

____

Nom et prénom: ____________________ Classe: ____________ Date: ____________

12 Rewrite the following sentences, using the pronoun **y**.

MODÈLE Adrian a passé ses vacances en Bretagne.
Adrian y a passé ses vacances.

1. J'ai rencontré mes amis en Normandie.

____

2. Valérie et Clara ont attendu leurs parents à l'aéroport.

____

3. Nous avons reçu nos cousins à Paris.

____

4. Malika va revoir ses amis à Marseille.

____

5. Les Dutour ont laissé leurs bagages en Algérie.

____

6. Jonas et sa famille ne vont pas rester dans leur appartement.

____

7. Nous avons pris beaucoup de photos devant les chutes.

____

8. Toi et moi, nous allons retourner aux Antilles l'été prochain.

____

Nom et prénom: ______________________ Classe: ______________ Date: ______________

13 Transform the following statements, following the **modèles**.

MODÈLES Les Richard sont allés au Canada l'an dernier. (mon père/aussi)
Mon père y est allé aussi.

Nous voulons aller en Guadeloupe cet été. (ma femme et moi/pas)
Ma femme et moi, nous ne voulons pas y aller.

1. Les spectateurs croient à la victoire de l'équipe. (moi/aussi)

____

2. Pierre va passer les vacances à Pointe-à-Pitre cette année. (ma famille/aussi)

____

3. Gisèle est allée au musée d'Orsay quatre fois. (son frère/deux fois)

____

4. Vous avez joué au tennis sur les plaines d'Abraham. (nous/pas)

____

5. L'année prochaine, tu vas passer beaucoup de temps à l'université. (moi/aussi)

____

6. Ce grand athlète a habité à Cannes. (toi/aussi)

____

7. Mes cousins ont vécu à Genève dans les années 1990. (mes cousins/pas)

____

8. Je dois penser à finir mes devoirs de maths. (moi/aussi)

____

Nom et prénom: ______________________ Classe: ______________ Date: ______________

Leçon B

Vocabulaire

14 Write each expression next to its corresponding description.

un masque	un smoking	une robe de mariée	se déguiser	un costume
un défilé	un char	une foule	un marié	une mariée

1. se porte (*is worn*) sur le visage: ______________________
2. se porte par un homme pour une cérémonie: ______________________
3. blanche, unique et on la porte une fois seulement: ______________________
4. l'action de dissimuler (*hide*) son identité sous un vêtement: ______________________
5. désigne le vêtement qu'on porte pendant un carnaval: ______________________
6. de nombreux chars y participent: ______________________
7. on monte dessus pendant le défilé: ______________________
8. un homme qui va se marier avec une femme: ______________________
9. une femme qui va se marier avec un homme: ______________________
10. les personnes qui regardent le défilé: ______________________

15 Match the words in the left column with those in the right column.

1. un char	A. les spectateurs
2. une foule	B. un défilé
3. un costume	C. se déguiser
4. un marié	D. une robe de mariée
5. une mariée	E. un smoking

Nom et prénom: ______________________ Classe: ______________ Date: ______________

16 Complete the paragraph with the correct vocabulary words.

Alex et Sarah sont heureux de participer au célèbre (1) __________________ de la Martinique. Sarah et Alex ont pris de vieux vêtements de fête pour (2) __________________. Alex est habillé comme (3) __________________; il porte une grande robe blanche et Sarah, elle, ressemble à (4) __________________; elle porte (5) __________________ que son père mettait pour aller à l'opéra. Ils ne veulent pas être reconnus et portent aussi (6) __________________ sur leur visage. Ils vont pouvoir participer au (7) __________________ sur (8) __________________ et se faire admirer (*be admired*) par (9) __________________.

Culture

17 Rewrite the following incorrect statements about Martinique. Refer to the **Points de départ** in **Leçon B**.

1. Le volcan qui domine l'île de la Martinique s'appelle la Soufrière.

   ____

2. Il y a 90 000 habitants en Martinique.

   ____

3. La capitale de la Martinique est Port-Louis.

   ____

4. Le créole martiniquais est la langue officielle de la Martinique.

   ____

5. Les céréales, le fromage, et le vin dominent la production agricole de l'île.

   ____

6. La Guadeloupe est aujourd'hui la première destination touristique des Antilles.

   ____

7. Édouard Glissant est considéré comme le père de la négritude.

   ____

8. *L'homme rompu*, un roman de Tahar Ben Jelloun, est un classique de la littérature antillaise.

   ____

Nom et prénom: ______________________ Classe: ______________ Date: ______________

18 Answer the following questions about **Carnaval** in Martinique. Refer to the **Points de départ** in **Leçon B.**

1. Le carnaval est un moyen de protester contre qui?

____

2. Qu'est-ce qu'une caricature?

____

3. Qu'est-ce qu'un mariage burlesque?

____

4. Qui est le roi Vaval?

____

5. Que devient Vaval à la fin du carnaval?

____

Structure

19 Replace the underlined segments with object pronouns.

MODÈLE Je donne le ticket à mon père.
Je le lui donne.

1. Nous apportons les costumes aux enfants.

____

2. Isabelle donne l'appareil à son copain.

____

3. Monsieur Robert raconte ses vacances à ses enfants.

____

4. On montre les chars aux spectateurs.

____

5. Tu me donnes ton masque de Batman?

____

Nom et prénom: ______________________ Classe: ______________ Date: ______________

20 Answer the following questions affirmatively, using double object pronouns.

MODÈLE Tu me montres ton joli masque?
Oui, je te le montre.

1. Ma sœur te prête sa robe?

____

2. Monsieur, vous me vendez votre souvenir du match?

____

3. Salim, tu prêtes ton costume à tes cousins?

____

4. Maman offre sa voiture à David?

____

5. Vous apportez ce souvenir à vos enfants?

____

6. Nous envoyons cette carte postale à nos amis?

____

7. Malika et Abdoul te racontent leurs vacances?

____

8. Tu montres la robe à ta femme?

____

Nom et prénom: ______________________ Classe: ______________ Date: ______________

21 Negate the following sentences that use double object pronouns.

MODÈLE Maurice a vendu ses CD à Alain.
Non, il ne les lui a pas vendus.

1. Patrice va me montrer son smoking de marié.

____

2. Ma mère a offert sa robe de mariée à ma sœur.

____

3. J'ai vendu mon portable à Amina.

____

4. Tu nous as montré tes photos de vacances.

____

5. Le prof de géographie va apporter ses souvenirs de vacances à ses élèves.

____

6. Tu dois nous prêter ta voiture de sport.

____

7. Oscar et Julian, vous allez nous offrir votre costume du carnaval.

____

8. Mon père va laisser son argent à son petit chien.

____

Nom et prénom: ______________________ Classe: ______________ Date: ______________

22 Answer the following questions affirmatively or negatively with the pronoun **en**.

MODÈLE Khaled offre-t-il des livres à Malika? (oui)
Oui, il lui en offre.

1. Nicolas donne-t-il des BD à Rachid? (non)

____

2. Romane apporte-t-elle des fleurs à Saniyya? (non)

____

3. Mathis m'envoie-t-il des chocolats? (oui)

____

4. Madiba offre-t-elle des cartes cadeaux à Abdoul? (oui)

____

5. Richard achète-t-il des films à ses amis? (non)

____

6. Denise offre-t-elle des chocolats à Darren? (non)

____

7. Guillaume vous donne-t-il des magazines? (oui)

____

8. Vous offrez du pain à votre oncle et votre tante? (non)

____

23 Answer the following questions with the correct object pronouns.

MODÈLE Est-ce que tu prêtes ton portable à tes amis?
Oui, **je le leur prête.**

1. Est-ce que tu montres tes nouvelles chaussures à tes parents?

   Non, ____

2. Est-ce que Daniel a apporté des costumes à sa cousine?

   Oui, ____

3. Est-ce que vous avez acheté des produits normands au vendeur?

   Oui, ____

4. Est-ce que tu as offert la photo du carnaval à tes parents?

   Oui, ____

5. Est-ce que tu as donné des cahiers à ta sœur?

   Non, ____

6. Est-ce que Jeremiah a apporté des fleurs à sa mère?

   Oui, ____

7. Est-ce que vous avez envoyé des cartes postales de Fort-de-France à vos amis?

   Non, ____

8. Est-ce que tes parents t'ont apporté des souvenirs de la Martinique?

   Oui, ____

Leçon C

Vocabulaire

24 Write the correct vocabulary expressions for each illustration.

une source d'eau | la canalisation | un puits
une borne-fontaine | un tremblement de terre

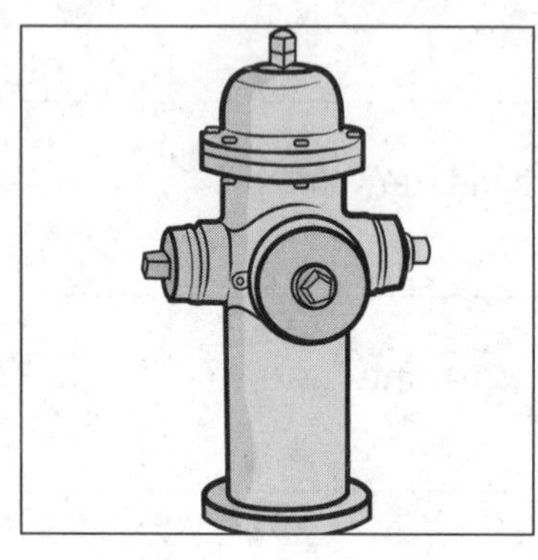

1. **2.**

3. **4.** **5.**

1. ______________________________________

2. ______________________________________

3. ______________________________________

4. ______________________________________

5. ______________________________________

Nom et prénom: ______________________ Classe: _____________ Date: _____________

25 Write the correct words in the blanks to complete the following sentences.

source d'eau   canalisation   puits   bornes-fontaines   tremblement de terre

1. Il y a eu un grand ______________________________ en Haïti.
2. La ______________________________ est détruite (*destroyed*); il n'y a pas d'accès local à l'eau.
3. À cause des déchets (*waste*), la ______________________________ principale est polluée.
4. Les vieux ______________________________ sont éloignés (*far*), et ils ne fonctionnent pas.
5. Des organisations humanitaires vont installer des ______________________________ dans les villages.

26 Write the correct words next to the definitions below.

une source d'eau   la canalisation   un puits
une borne-fontaine   un tremblement de terre

1. une excavation dans la terre avec de l'eau au fond: ______________________________
2. un endroit naturel où il y a de l'eau: ______________________________
3. une petite fontaine dans un lieu public: ______________________________
4. l'eau circule à travers (*through*) cette construction métallique: ______________________________
5. quand la terre bouge avec violence: ______________________________

Nom et prénom: ______________________ Classe: ______________ Date: ______________

27 Match the seafood in the left column with the Haitian cooking methods associated with them in the right column.

1. des coquilles St-Jacques	A. créoles
2. des crabes	B. des accras
3. des crevettes	C. épicées
4. des lambis	D. farcis
5. des langoustes	E. frits à l'haïtienne
6. des morues	F. des brochettes
7. des rougets	G. meunière aux amandes

28 Say what the following people are going to cook for dinner tonight based on what ingredients they have.

MODÈLE Mme Fournier a acheté des langoustes.
Elle va préparer des langoustes créoles.

1. Gérard a acheté trois morues au marché.

____

2. Jimani a acheté des crevettes et des épices (*spices*).

____

3. Ma femme et moi, nous sommes allés à la poissonnerie (*fish market*) chercher de bons rougets.

____

4. Toi, tu as pêché des lambis ce matin.

____

5. Mme Amir, vous avez pris une livre de crabes au marché.

____

6. Aujourd'hui, je vais acheter des coquilles Saint-Jacques.

____

Nom et prénom: ______________________ Classe: ______________ Date: ______________

29 For each pair of suggested words, write a complete sentence.

MODÈLE annoncer/tremblement de terre
Le présentateur des informations télévisées a annoncé un tremblement de terre en Californie.

1. polluer/des sources d'eau

____

____

2. trouver/un puits

____

____

3. rendre service/des coquilles Saint-Jacques

____

____

4. remplacer/la canalisation

____

____

5. être chargé de/les crabes farcis

____

____

6. installer/une borne-fontaine

____

____

7. pêcher/des morues

____

____

Nom et prénom: ______________________ Classe: ______________ Date: ______________

Culture

30 Answer the following questions about Haïti according to the **Points de départ** in **Leçon C.**

1. Quelle est la situation géographique d'Haïti?

____

____

2. Quelle importance historique a Haïti pour les nations noires?

____

____

3. À quels problèmes fait face (*is faced with*) Haïti?

____

____

4. Qu'est-ce qui fait la richesse culturelle d'Haïti? Donnez un exemple.

____

____

5. Quelle est l'économie principale en Haïti?

____

____

6. Quelles ont été les conséquences de la Révolution française en Haïti?

____

____

7. Qui était Toussaint Louverture?

____

____

8. Qu'est-ce que la créolité? Expliquez.

____

____

Nom et prénom: ______________________ Classe: ______________ Date: ______________

Structure

31 Answer the following questions. Follow the **modèle**.

MODÈLE Depuis quand est-ce que vous êtes mariés? (le 27 avril 2005)
Nous sommes mariés depuis le 27 avril 2005.

1. Depuis quand est-ce qu'on fête le Carnaval de la Martinique? (le 19ème siècle)

   ____

2. Depuis quand est-ce que tu te sens mal? (6h00, ce matin)

   ____

3. Depuis quand est-ce que vous avez perdu votre chien? (hier soir)

   ____

4. Depuis quand est-ce que les enfants sont sortis? (15h00)

   ____

5. Depuis quand est-ce que vous n'avez pas pris de photos? (les dernières vacances)

   ____

6. Depuis quand est-ce que tes amis sont partis? (ce weekend)

   ____

7. Depuis quand est-ce que tu vas à l'université? (le mois dernier)

   ____

8. Depuis quand est-ce que tu portes des lunettes? (le 19 juin)

   ____

Nom et prénom: ______________________ Classe: ______________ Date: ______________

32 Answer the following questions. Follow the **modèle**.

MODÈLE Depuis combien de temps est-ce que l'on ne s'est pas vus? (trois mois)
On ne s'est pas vus depuis trois mois.

1. Depuis combien de temps est-ce que vous étudiez le français, Roxanne et toi? (deux ans)

____

2. Depuis combien de temps est-ce que nous sommes en vacances? (une semaine)

____

3. Depuis combien de temps est-ce que ton père travaille dans ce bureau? (quinze ans)

____

4. Depuis combien de temps est-ce que tu connais Marianne? (deux jours)

____

5. Depuis combien de temps est-ce que vous faites du tennis ensemble ? (un an)

____

6. Depuis combien de temps est-ce que ta famille habite en Haïti? (trois ans)

____

7. Depuis combien de temps est-ce que tu travailles sur ce devoir? (huit heures)

____

8. Depuis combien de temps est-ce que tes parents travaillent pour cette ONG? (quelques mois)

____

Nom et prénom: ______________________ Classe: ______________ Date: ______________

33 Try to work out what each question was by studying the answer given. Follow the **modèle**.

MODÈLE Je suis dans la salle de bains depuis 6h45.
Depuis quand est-ce que tu es dans la salle de bains?

Je suis dans la salle de bains depuis trente minutes.
Depuis combien de temps est-ce que tu es dans la salle de bains?

1. Je vais à ce lycée depuis septembre 2009.

____

Je vais à ce lycée depuis deux ans.

____

2. Nous sommes amis depuis le mois de décembre.

____

Nous sommes amis depuis trois mois.

____

3. J'écris cette rédaction depuis 14h35.

____

J'écris cette rédaction depuis vingt-cinq minutes.

____

4. Nous sommes à la piscine depuis une heure de l'après-midi.

____

Nous sommes à la piscine depuis trois heures.

____

5. Alice et Mika font du camping depuis jeudi.

____

Alice et Mika font du camping depuis deux jours.

____

Nom et prénom: ______________________ Classe: ______________ Date: ______________

Unité 9: La vie contemporaine

Leçon A

Vocabulaire

1 Write the letter of the illustration next to the vocabulary word it corresponds to.

A., B., C.

D.

E.

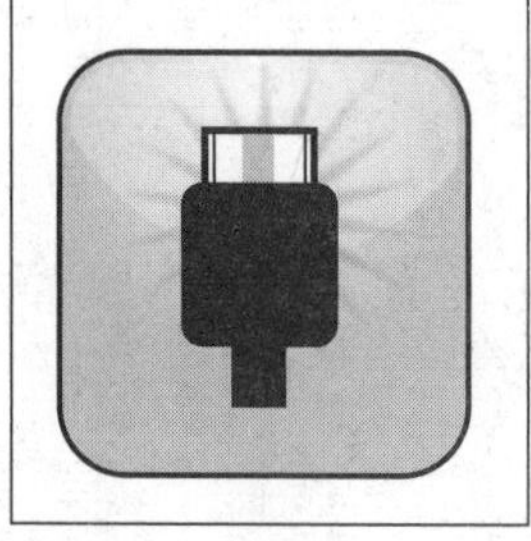

F.

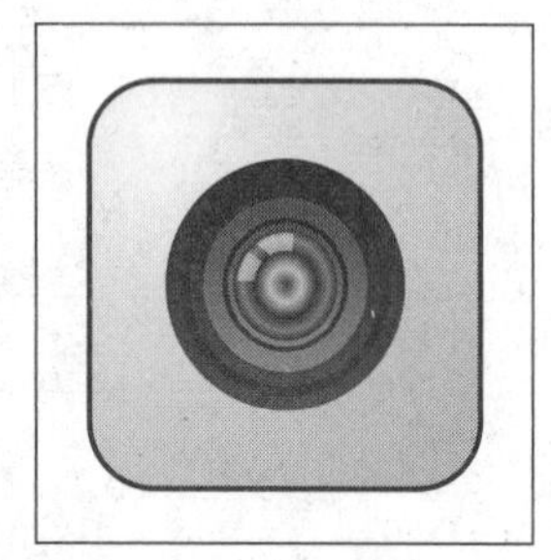

G.

H.

I.

1. la messagerie: ______
2. le port micro-USB: ______
3. une appli pour Internet: ______
4. une interface: ______
5. l'écran de verrouillage: ______
6. la carte SIM: ______
7. un fichier vidéo: ______
8. une icône: ______
9. la caméra: ______

2 Write the parts of the smartphone described in the definitions below.

MODÈLE C'est pour prendre des photos.
la caméra

1. C'est là où on reçoit et envoie des messages. ______________________________
2. C'est là où on appuie pour ouvrir et fermer le smartphone. ______________________________
3. C'est une carte électronique avec les informations du smartphone. ______________________________
4. C'est pour brancher le smartphone à un ordinateur. ______________________________
5. C'est un programme pour ajouter (*add*) une fonctionnalité au smartphone. ______________________________
6. C'est un format pour écouter de la musique. ______________________________
7. C'est une image qui représente une application. ______________________________
8. C'est le look de l'écran du smartphone. ______________________________

3 Match the verbs in the left column with the expressions in the right column to provide correct directions on how to use a smartphone.

______	1. publier	A. le bouton
______	2. se mettre	B. une image en format carré
______	3. passer	C. le nom du destinataire
______	4. recadrer	D. une appli
______	5. joindre	E. en mode photo
______	6. taper	F. une photo en ligne
______	7. ouvrir	G. son doigt sur quelque chose
______	8. appuyer sur	H. une photo à un mail

Nom et prénom: _______________ Classe: _______________ Date: _______________

4 Choose the correct word to fill in the blanks in the sentences below.

passez réglages prendre appuyez fichier
vérifiez joindre recadrer

Mode d'emploi

ⓐ Avec votre smartphone Alcatel, vous pouvez (1) _______________ de très belles photos.

ⓑ D'abord, (2) _______________ le doigt sur l'icône photo, puis (3) _______________ les réglages.

ⓒ Il faut peut-être (4) _______________ l'image en format paysage, portrait, ou carré.

ⓓ Quand vous êtes satisfaits des (5) _______________, (6) _______________ sur le bouton.

ⓔ Vous pouvez sauvegarder votre photo dans un (7) _______________, ou la (8) _______________ à un message.

5 Write a logical word to complete the missing blanks in the e-mail below.

Envoyer

À: dravi23@orange.fr
De: pierrotlelou@wanadoo.fr

J'adore mon nouveau smartphone! Je peux télécharger des (1) ______________________ pour lire les journaux, écouter de la musique; et je les ouvre quand je passe mon doigt sur les (2) ______________________. Je peux prendre des photos et des vidéos avec le mode (3) ______________________. J'utilise beaucoup (4) ______________________ pour envoyer des (5) ______________________ à mes amis. Avec le (6) ______________________, je peux brancher un micro et interviewer mes amis. Quand je n'utilise pas mon smartphone, je mets l' (7) ______________________ pour le protéger.

Nom et prénom: ______________________ Classe: ______________ Date: ______________

Culture

6 Answer the following questions about transportation technology in France. Refer to the **Points de départ** in **Leçon A**.

1. Nommez deux aviateurs aventuriers français.

   ___

2. Nommez deux domaines de transport qui ont beaucoup évolué en France.

   ___

3. Qui a créé la compagnie Airbus?

   ___

4. Dans quelle ville se situe la capitale de cette compagnie?

   ___

5. Qu'est-ce que c'est, Ariane?

   ___

6. Quelle institution française gère (*manages*) Ariane? Où se trouve sa base de lancement?

   ___

7. Qu'est-ce que les TGV?

   ___

8. Dans quels pays autres que la France peut-on voyager en TGV?

   ___

   ___

Nom et prénom: ______________________ Classe: ______________ Date: ______________

7 Answer the following questions about the evolution of the automobile industry in France. Refer to the **Points de départ** in **Leçon A**.

1. Quelles sont les compagnies automobiles les plus importantes en France?

____

2. Quelles sortes de voitures créent ces compagnies?

____

3. Qu'est-ce qu'il y a de spécial dans les voitures de sport de ces compagnies?

____

4. Qu'est-ce que Michelin?

____

5. Quelle colonie française Michelin a-t-il exploité (*exploited*) pour le caoutchouc?

____

6. Cette colonie regroupait quels pays?

____

7. Combien de tonnes de latex ont produit les plantations de cette colonie?

____

Nom et prénom: ______________________ Classe: ______________ Date: ______________

Structure

8 Fill in the blanks with the correct form of the verbs in parentheses in the conditional. Then answer the questions affirmatively.

MODÈLE Alicia et Robert **achèteraient** cet ordinateur?
Oui, ils achèteraient cet ordinateur.

1. –Tu ________________________ ce smartphone? (choisir)
   –____
2. –Vous ________________________ cette direction? (prendre)
   –____
3. –Édouard ________________________ cette application? (télécharger)
   –____
4. –On ________________________ ces photos? (envoyer)
   –____
5. –Tu ________________________ ce réglage? (faire)
   –____
6. –Tes amis ________________________ la messagerie? (consulter)
   –____
7. –J'________________________ l'écran de verrouillage de mon smartphone? (utiliser)
   –____
8. –Nous ________________________ un autre message? (attendre)
   –____
9. –Vanessa ________________________ de nouveaux paysages en Suisse? (voir)
   –____
10. –Les élèves ________________________ tout le vocabulaire pour le contrôle? (apprendre)
    –____

Nom et prénom: ______________________ Classe: ______________ Date: ______________

9 Answer the following questions in the conditional. You may answer affirmatively or negatively.

1. Tu irais à Port-au-Prince?

____

2. Et tes amis, ils auraient envie d'y aller?

____

3. En France, qui t'enverrait de l'argent?

____

4. Verrais-tu un film d'horreur avec personne?

____

5. Le directeur de ton école recevrait-il tes parents le weekend?

____

6. Ta famille et toi, viendriez-vous à la teuf de tes amis ensemble?

____

7. Tes parents achèteraient-ils une nouvelle appli pour ton smartphone?

____

8. Qu'est-ce que tu suggèrerais à un ami qui n'a jamais voyagé?

____

9. Ferais-tu la cuisine pour ton petit ami ou ta petite amie?

____

10. Ta famille pourrait-elle se déplacer en vélo dans ta ville?

____

10 Using the following elements, say what you *would* do on vacation in the south of France.

MODÈLE faire de la voile/mes parents et moi
Mes parents et moi ferions de la voile sur la mer.

1. naviguer sur le web/moi

 ____

2. manger des pâtisseries/ma sœur

 ____

3. se promener en ville/mon père et mon grand-père

 ____

4. visiter les châteaux de Provence/mes cousines

 ____

5. s'asseoir à un café/mon frère et moi

 ____

6. faire les boutiques/maman et toi

 ____

7. étudier à la bibliothèque de Marseille/ma tante Séraphine

 ____

8. nager très tôt le matin/toi

 ____

Nom et prénom: ______________________ Classe: ______________ Date: ______________

11 Say what the following people would or would not do if they were famous.

MODÈLES Martine/découvrir un appareil de science-fiction
Martine découvrirait un appareil de science-fiction.

Jules/ne pas dormir dans des hôtels
Jules ne dormirait pas dans des hôtels.

1. toi et moi/aider les ONG

____

2. M. Pincebec/ne jamais travailler

____

3. Ma mère/créer des produits de beauté non-toxiques

____

4. M. et Mme Lagneau/ne pas acheter de smartphone

____

5. Ludovic et toi/se marier à 30 ans

____

6. Aïcha et moi/ne pas avoir d'enfants

____

7. Pierre/apprendre à piloter un avion

____

8. Mes amis/ne pas être égoïste

____

Nom et prénom: ______________________ Classe: ______________ Date: ______________

12 While traveling in Paris, you came upon an unpublished manuscript by Jean-Paul Sartre revealing his biggest regrets in life. Unfortunately, due to the fragile state and age of the paper, most verbs were erased. To read his last thoughts, you must decipher what those missing verbs are, and use the correct form of the conditional.

Si la vie était à refaire, je ne (1) ______________________ pas écrivain, mais peintre. J'ai fait la guerre mais je ne (2) ______________________ jamais la guerre. Je ne me suis pas marié, donc je (3) ______________________. Aussi, je n'ai pas eu d'enfants, alors j' (4) ______________________ au moins trois enfants. J'ai passé toute ma vie à penser à la philosophie, mes amis m'écoutaient, mais aujourd'hui ils ne m' (5) ______________________ pas parce que je (6) ______________________ des tableaux. Les hommes ont voulu me rendre hommage (to give me homage)*, mais aujourd'hui ils ne me (7) ______________________ pas parce que je m' (8) ______________________ Charles Aymard, pas Jean-Paul Sartre.*

Nom et prénom: ______________________ Classe: ______________ Date: ______________

Leçon B
Vocabulaire

13 Match the definitions in the left column with the words in the right column.

1. quand on n'est pas en bonne santé
2. quand des pays sont opposés
3. quand on ne trouve pas de travail
4. quand on boit trop d'alcool
5. personnes qui n'ont pas d'endroit où habiter
6. quand la différence de race est la cause de l'injustice
7. quand on n'a pas assez d'argent pour vivre
8. quand les personnes utilisent la force physique
9. substance toxique fatale
10. quand on n'a pas assez à manger
11. quand on utilise la terreur pour avoir le pouvoir

A. le racisme
B. une maladie
C. le terrorisme
D. la pauvreté
E. le chômage
F. la faim
G. l'alcoolisme
H. la drogue
I. la guerre
J. la violence
K. les sans-abri

Nom et prénom: ______________________ Classe: ______________ Date: ______________

14 Write the following social problems under the correct categories. Some examples will fit in more than one catagory.

l'éducation	la maladie	la guerre	le terrorisme
la violence	la drogue	l'alcoolisme	le chômage
les sans-abri	la faim	la pauvreté	le racisme

1. Les problèmes individuels:

   ____

   ____

2. Les problèmes de société:

   ____

   ____

3. Les problèmes économiques:

   ____

   ____

4. Les problèmes politiques:

   ____

   ____

15 Name possible solutions to the following problems.

1. la guerre: ____
2. le chômage: ____
3. la drogue: ____
4. l'alcoolisme: ____
5. une maladie: ____
6. le racisme: ____
7. les sans-abri: ____
8. la pauvreté: ____

Nom et prénom: ______________________ Classe: ______________ Date: ______________

16 Fill in the blanks with the correct verb. Some verbs will be used more than once.

arrêter	créer	enseigner	économiser	user	ouvrir
trouver	lutter	combattre	faire	moderniser	

1. ______________________ un remède contre une maladie
2. ______________________ l'éducation
3. ______________________ le terrorisme
4. ______________________ des emplois
5. ______________________ contre le racisme
6. ______________________ la tolérance
7. ______________________ de diplomatie
8. ______________________ la violence
9. ______________________ la pollution
10. ______________________ une intervention
11. ______________________ un centre d'accueil
12. ______________________ un don
13. ______________________ du bénévolat
14. ______________________ de l'argent pour l'avenir (*future*)

Nom et prénom: ______________________ Classe: ______________ Date: ______________

17 After a year in France, you have become a cognizant, open-minded and committed world citizen. You have been recommended to assist the French prime minister. The French prime minister handed you a list of problems facing France. You must suggest viable solutions in order to impress him.

MODÈLE Le pourcentage de réussite au baccalauréat est faible dans les banlieues.
Problème: **l'éducation**
Solution: **Il faut moderniser l'éducation.**

1. Trop de jeunes n'obtiennent pas de travail après leurs études.

   Problème: ____

   Solution: ____

2. Les communautés ont des difficultés à contrôler la drogue dans les écoles.

   Problème: ____

   Solution: ____

3. En Afrique, il y a beaucoup de villages où les gens n'ont pas assez pour survivre.

   Problème: ____

   Solution: ____

4. Il y a eu beaucoup de tension contre les immigrés français dans certaines villes de France cette année.

   Problème: ____

   Solution: ____

5. Tous les ans, 2 000 français sont touchés par la maladie d'Alzheimer.

   Problème: ____

   Solution: ____

6. Les grandes villes ont rapporté un record de personnes sans endroit où habiter cette année.

   Problème: ____

   Solution: ____

continued on next page

7. L'état a perdu beaucoup d'argent cette année et n'a pas économisé.

   Problème: ____

   Solution: ____

8. Il y a eu trop de révoltes sociales violentes cette année.

   Problème: ____

   Solution: ____

9. L'Union européenne a adopté un impôt (*tax*) sur la pollution de l'air, mais certaines entreprises continuent avec leurs produits chimiques.

   Problème: ____

   Solution: ____

10. Les pays européens ont eu beaucoup d'attentats (*attempts*) terroristes ces dernières années.

    Problème: ____

    Solution: ____

11. Trop de familles françaises ont des difficultés à se nourrir.

    Problème: ____

    Solution: ____

12. Il y a beaucoup de rumeurs de conflits politiques dans le monde.

    Problème: ____

    Solution: ____

Nom et prénom: ______________________ Classe: ______________ Date: ______________

18 Answer the following questions.

1. À ton avis, est-ce qu'il y a beaucoup de violence dans le monde?

____

2. Y a-t-il beaucoup de pollution là où tu habites?

____

3. À ton avis, quelles sont les maladies les plus sérieuses?

____

4. Que penses-tu de l'éducation dans ton pays?

____

5. Pourquoi penses-tu qu'il y a beaucoup de pauvreté dans notre monde moderne?

____

6. As-tu peur d'être au chômage dans l'avenir et pourquoi?

____

7. À ton avis, quel est le plus grand problème chez les jeunes aujourd'hui?

____

8. À ton avis, est-il possible de combattre le racisme?

____

Culture

19 Complete the following activities about Marie Curie. Use **Leçon B** of **Points de Départ** and the internet to help you.

1. Écrivez un article court pour le site de votre lycée sur la vie et les accomplissements de Marie Curie.

____

____

____

____

Continued on next page

2. Vous organisez une documentation autour de la vie et de l'œuvre de Marie Curie. Pour cela, vous avez sélectionné les films et téléfilms ci-dessous. Pour chacun, écrivez un court résumé.

   a. *Marie Curie*, film de Marie-Noëlle Sehr (Pologne, 2016)

   ____

   ____

   b. *Marie Curie, une femme sur le front*, téléfilm de Alain Brunard (2014)

   ____

   ____

   c. *Marie Curie, une femme honorable*, téléfilm de Michel Boisrond (1990)

   ____

   ____

20 Answer the following questions about education and unemployment in France. Refer to the **Points de départ** in **Leçon B**.

1. Qu'est-ce qu'une éducation laïque?

   ____

2. Faut-il payer pour obtenir une éducation en France?

   ____

3. Comment est le système éducatif en France?

   ____

4. Qu'est-ce qu'une grande école?

   ____

5. Qui est le plus touché par le chômage? ______________________

6. Quel pourcentage des jeunes de 20 à 24 ans sont au chômage en France? ______________

7. Quels domaines universitaires permettent de trouver facilement du travail?

   ____

8. Quels domaines universitaires sont les moins prometteurs (*promising*)?

   ____

Nom et prénom: ______________________ Classe: ______________ Date: ______________

Structure

21 What would you do if you became president of your country? Write sentences in the conditional. Follow the **modèle**.

MODÈLE combattre le racisme
Je combattrais le racisme.

1. créer beaucoup d'emplois

____

2. lutter contre le chômage chez les jeunes

____

3. moderniser les écoles des banlieues

____

4. enseigner la tolérance dans notre monde

____

5. condamner la violence dans les rues

____

6. s'attaquer au terrorisme

____

7. combattre la pauvreté dans notre pays

____

8. arrêter la pollution de l'air

____

Nom et prénom: ______________________ Classe: ______________ Date: ______________

22 Complete the following sentences using the conditional. Follow the **modèle**.

MODÈLE apprendre le dessin
Si j'avais le temps, **j'apprendrais le dessin.**

1. se lever plus tôt

   Si Maxime dormait mieux, ____

2. lire davantage

   Si nous avions moins de devoirs, ______________________________________

3. faire plus de sport

   Si on était moins paresseux, ____

4. être plus mince

   Si tu mangeais moins de pâtisseries, ___________________________________

5. avoir de meilleures notes

   Si les élèves travaillaient plus, ______________________________

6. aller plus vite

   Si tu m'aidais, ____

7. savoir mieux s'en servir

   Si je te montrais le mode d'emploi du smartphone, _______________________

8. pouvoir aller en France

   Si mes parents avaient le temps, ils ____________________________________

Nom et prénom: ____________________ Classe: ______________ Date: ______________

23 Complete the following sentences using first the imperfect and then the conditional.

MODÈLE Si nous **étions** à la Guadeloupe, nous **ferions** une randonnée dans la montagne. (être, faire)

1. Si tu ____________________ de l'argent, tu ____________________ les ONG. (recevoir, aider)
2. Si on ____________________ une promenade ensemble, on ____________________ des animaux. (faire, voir)
3. Si nous ____________________ un appareil photo, nous ____________________ des photos. (avoir, prendre)
4. Si tu ____________________ t'amuser, nous ____________________ aller au parc d'attractions. (vouloir, pouvoir)
5. Si mon père ____________________ professeur, il ____________________ les sciences humaines. (être, enseigner)
6. Si je ____________________ nager, j' ____________________ à la plage en été. (savoir, aller)
7. Si mes amis ____________________ français, ils m' ____________________ en France. (parler, accompagner)
8. Si ma tante ____________________ l'art, elle ____________________ des tableaux. (connaître, peindre)

Nom et prénom: ______________________ Classe: ______________ Date: ______________

24 Complete the following sentences choosing correctly between the imperfect or the conditional.

MODÈLES Qu'est-ce que tu ferais si tu **arrivais** à l'école en retard? (arriver)

Si nous allions chez le médecin, il nous **donnerait** des médicaments. (donner)

1. Si nous ________________________ notre argent, nous pourrions voyager en Espagne. (économiser)
2. Si tu étais gentille, tu me ________________________ ton smartphone. (prêter)
3. Si les Français ________________________des manifs, le président créerait plus d'emplois (organiser).
4. Si vous vous le demandiez, vous ________________________ comment aller à la librairie. (savoir)
5. Si je ________________________ chercheur scientifique, je trouverais un remède contre le SIDA. (devenir)
6. Si on descendait du métro à cette station, on ________________________ voir le Louvre. (pouvoir)
7. Si vous ________________________ vos études, vous pourriez avoir un meilleur emploi. (finir)
8. Si nous ouvrions un centre d'accueil, nous ________________________ de l'aide à une ONG. (offrir)
9. Si Jacques et Ramina ________________________, ils seraient heureux. (se marier)
10. Si je partais habiter à Paris, on ________________________ pendant les vacances. (se revoir)

Nom et prénom: ________________ Classe: ____________ Date: ____________

Leçon C

Vocabulaire

25 Give the feminine equivalent of the professions below.

1. un concepteur web

   ____

2. un coiffeur

   ____

3. un homme politique

   ____

4. un chercheur

   ____

5. un pilote

   ____

6. un technicien de centrale solaire

   ____

7. un vétérinaire

   ____

8. un consultant

   ____

9. un infirmier

   ____

10. un designer automobile

   ____

Nom et prénom: ______________________ Classe: ______________ Date: ______________

26 Write the profession of the people in the illustrations below. Pay attention to gender.

1. ______________________ 6. ______________________

2. ______________________ 7. ______________________

3. ______________________ 8. ______________________

4. ______________________ 9. ______________________

5. ______________________ 10. ______________________

Nom et prénom: ______________________ Classe: ______________ Date: ______________

27 Rewrite the job titles below under the correct categories. Add articles.

infirmier/infirmière vétérinaire homme/femme politique consultant(e)
designer automobile coiffeur/coiffeuse pilote chercheur/chercheuse
concepteur/conceptrice web technicien/technicienne de centrale solaire

1. santé-beauté:

____

2. vie publique:

____

3. monde scientifique:

____

4. monde industriel:

____

____

28 Write as many professions as you can under the industries below. A few examples have been done for you.

1. le secteur agroalimentaire:

un agriculteur, un fermier

2. le secteur du développement durable:

____

3. le secteur aéronautique:

____

4. le secteur de l'informatique:

____

5. l'industrie (f.) du divertissement:

____

Continued on next page.

6. le domaine des sciences et techniques:

____

7. le domaine de la santé:

____

29 Answer the following questions about work.

1. Dans quel secteur voudrais-tu travailler à l'avenir et pourquoi?

____

2. Dans quel secteur travaillent tes parents?

____

3. À ton avis, quel est le secteur dominant dans ton pays ou ta région?

____

4. Connais-tu quelqu'un qui travaille dans le secteur du développement durable? Qu'est-ce qu'il ou elle fait?

____

5. Quelles sont les personnes que tu admires dans l'industrie du divertissement?

____

6. À ton avis, quel est le secteur le moins important dans ton pays?

____

7. Quelles professions peut-on choisir dans le domaine des sciences et techniques?

____

8. Dans ta famille, est-ce que quelqu'un travaille dans le domaine de la santé?

____

9. Dans quel secteur est-ce que tu n'aimerais pas travailler et pourquoi?

____

Nom et prénom: ______________________ Classe: ______________ Date: ______________

Culture

30 Answer the following questions about Belgium. Refer to the **Points de départ** in **Leçon C**.

1. Est-ce que la Belgique est une république comme la France?

   ____

2. Quelles sont les différences entre la Wallonie et la Flandre?

   ____

3. Quelle est la situation économique de la Flandre?

   ____

4. Que produit la Wallonie?

   ____

5. Combien d'habitants de la Belgique sont germanophones?

   ____

6. Quelle est la capitale de la Belgique?

   ____

7. Citez six autres villes de Belgique.

   ____

8. Nommez un chanteur célèbre belge.

   ____

9. Qui est Hergé?

   ____

10. Qui est René Magritte?

    ____

Nom et prénom: ______________________ Classe: ______________ Date: ______________

31 Answer the following questions about the European Union. Refer to the **Points de départ** in **Leçon C**.

1. Quelle est l'importance de Bruxelles dans l'Union européenne?

____

2. Quelles institutions européennes s'y trouvent?

____

____

3. Combien d'ambassades y a-t-il à Bruxelles?

____

4. Quels pays européens ont signé le traité de Rome, et en quelle année?

____

5. Comment évolue cette communauté européenne en 1986?

____

____

6. Et en 1992?

____

7. Aujourd'hui, quel genre d'institution est l'Union européenne?

____

8. Combien de pays sont membres de l'Union européenne aujourd'hui?

____

9. Qu'ont la majorité de ces pays membres en commun?

____

10. Quelles sont les capitales de l'Union européenne?

____

____

Nom et prénom: ________________ Classe: ____________ Date: ____________

Structure

32 Fill in the blanks with the correct form of the verbs in parentheses in the future tense.

MODÈLE Tu **finiras** tes études dans cinq ans. (finir)

1. Nous ______________ à l'université quand nous ______________ le bac. (aller, avoir)
2. Ma copine ______________ en vacances en mai. (être)
3. ______________-vous le château de Versailles quand vous ______________ en France? (voir, voyager)
4. Que ______________-je après mes études? (devenir)
5. Ne t'inquiète pas, les enfants ______________ le gâteau. (finir)
6. Est-ce qu'on ______________ nager en Bretagne? (pouvoir)
7. Tu ______________ quand tu ______________ assez d'argent. (voyager, gagner)
8. Karim et Fatou ______________ leurs vacances dans deux semaines. (prendre)

33 Fill in the blanks with the correct form of the verbs in parentheses in the future tense.

1. Après la pièce, nous ______________ les acteurs. (voir)
2. Après le film, on ______________ au restaurant italien. (aller)
3. Après le contrôle de maths, je ______________ un film sur la Guadeloupe. (louer)
4. Après le match de rugby, les joueurs ______________ une douche. (prendre)
5. Après les cours, Magali et toi ______________ sur Internet. (surfer)
6. Après la visite de ta cousine, tu ______________ si elle va se marier. (savoir)
7. Est-ce que vous ______________ à la maison après la réception? (rentrer)
8. Après la conférence, les présentateurs ______________ vos questions. (attendre)

Nom et prénom: ______________________ Classe: ______________ Date: ______________

34 Fill in the blanks with the future tense of the correct verb.

voir suivre partir apprendre faire

se promener acheter commander venir

MODÈLE Nous **partirons** au Sénégal pour notre anniversaire de mariage.

1. Clara et toi, vous ________________________ une tablette au magasin Darty.
2. Rose, tu ________________________ au Jardin des Tuileries avec moi?
3. Romain ________________________ un cours de cinéma à la Sorbonne.
4. Mes grands-parents ________________________ une promenade au parc dimanche.
5. Magalie et Marc, vous ________________________ la vaisselle, s'il vous plaît?
6. Salim ________________________ le nouveau film avec Marion Cotillard samedi.
7. Nous ________________________ le petit déjeuner à l'hôtel.
8. Mes copains ________________________ l'aéronautique à Toulouse.

Nom et prénom: ______________________ Classe: ______________ Date: ______________

35 Say what profession the following people will likely have according to their current interests.

MODÈLE Brigitte aime trouver des solutions aux problèmes politiques.
Elle sera femme politique.

1. Sandrine aime dessiner des meubles ou des objets.

____

2. David, tu aimes beaucoup les voitures, n'est-ce pas?

____

3. Valérie aime s'occuper des animaux.

____

4. Mustapha et son frère Rachid aiment trouver des solutions à des problèmes.

____

5. Nous aimons aider les gens malades.

____

6. Anne et Amira aiment faire de la recherche scientifique.

____

7. Marc et moi, nous aimons imaginer des sites sur Internet.

____

8. Moi, j'aime bien inventer des coiffures.

____

Nom et prénom: ______________________ Classe: ______________ Date: ______________

Unité 10: En vacances

Leçon A
Vocabulaire

1 Write the item that corresponds to each description below.

un parasol	une chaise longue	une serviette de plage
un sac de plage	des lunettes de soleil	de la crème solaire
un matelas pneumatique	le Guide Michelin	un best-seller
une liseuse		

1. pour ranger ses affaires (*possessions*): ______________________________
2. un siège pour s'allonger (*to lie down*) sur la plage: ______________________________
3. pour se reposer dessus et se sécher avec: ______________________________
4. pour se reposer sur l'eau: ______________________________
5. un guide qui porte le nom d'une marque de pneus: ______________________________
6. un roman très populaire: ______________________________
7. protège un endroit du soleil: ______________________________
8. protège le corps du soleil: ______________________________
9. protège les yeux du soleil: ______________________________
10. un livre sur tablette: ______________________________

Nom et prénom: ______________________ Classe: ______________ Date: ______________

2 Write the missing words to complete the dialogue between Clara and Abdel.

la crème solaire | liseuse | sac de plage | best-seller | les lunettes de soleil
parasol | serviettes | une chaise longue | matelas pneumatique

Clara: Aujourd'hui, journée plage! Toi, tu es fort, alors porte le

(1) ______________________________. Prends aussi deux

(2) ______________________________, s'il te plaît, pour nous reposer.

Abdel: Ben, moi je préfère m'asseoir sur (3) ______________________________, c'est beaucoup plus confortable.

Clara: Le problème, c'est que c'est difficile à porter. Pourquoi pas un

(4) ______________________________?

Abdel: Bonne idée, comme ça, je peux me reposer sur l'eau!

Clara: D'accord, alors, on a tout? On a (5) ______________________________ pour tes yeux

délicats, (6) ______________________________ pour protéger notre corps.... Tout

est dans mon (7) ______________________________. Qu'est-ce que j'ai oublié?

Abdel: Un peu de lecture, peut-être? Tu as fini le (8) ______________________________ que tu lis depuis une semaine?

Clara: Oui, mais je viens d'acheter une toute nouvelle (9) ______________________________. Je prends ma tablette avec nous!

Nom et prénom: ______________________ Classe: ______________ Date: ______________

3 Write the name of the activities represented by the illustrations.

faire de la voile | nager | faire du parachutisme ascensionnel
faire du scooter des mers | bronzer | faire du ski nautique

1.

2.

3.

4.

5.

6.

1. ____
2. ____
3. ____
4. ____
5. ____
6. ____

Nom et prénom: ____________________ Classe: ______________ Date: ______________

4 The Merricks are at a beach resort in Cannes. Say what each family member is going to do based on his or her likes or dislikes.

faire de la voile	nager	faire du parachutisme ascensionnel
faire du scooter des mers	bronzer	faire du ski nautique

MODÈLE M. Merrick aime beaucoup être dans l'eau.
Il va nager.

1. Kristina adore aller vite et aime le contact avec l'eau.

   ____

2. Paul n'a pas peur du vide mais il a le mal de mer.

   ____

3. Mme Merrick et sa belle-fille aiment les sensations fortes mais elles sont paresseuses.

   ____

4. Le chien adore sentir l'air mais il n'aime pas la vitesse et être mouillé (*wet*).

   ____

5. L'oncle et la tante adorent la plage mais ils détestent l'eau.

   ____

Nom et prénom: ______________________ Classe: ______________ Date: ______________

5 You have applied for a position as a lifeguard on the beaches of Nice. Answer the following questions to see if you meet the necessary qualifications. If your answers show experience, a concern for safety, and an affinity for water sports, you get the job!

1. Combien de fois par an vas-tu à la plage?

   ____

2. Mets-tu de la crème solaire juste pour bronzer, ou aussi quand tu nages ou fais du sport aquatique?

   ____

3. As-tu déjà fait du ski nautique? Si non, aimerais-tu en faire?

   ____

4. Qu'est-ce que tu mets dans ton sac de plage pour aller à la plage?

   ____

5. Aimerais-tu faire du parachutisme ascensionnel? Pourquoi, ou pourquoi pas?

   ____

6. Quand ta famille va à la plage, emmenez-vous un parasol?

   ____

7. À ton avis, est-il important de porter des lunettes de soleil quand on fait de la voile? Pourquoi, ou pourquoi pas?

   ____

8. À ton avis, qu'est-ce qui est le plus dangereux, le ski nautique ou le jet ski? Pourquoi?

   ____

9. Un maître-nageur doit-il faire attention seulement aux nageurs ou aussi aux personnes qui bronzent sur la plage? Pourquoi?

   ____

10. À la plage, préfères-tu lire une liseuse sur un matelas pneumatique, ou nager?

    ____

Nom et prénom: ______________________ Classe: ______________ Date: ______________

Culture

6 Answer the following questions about **la Côte d'Azur**. Refer to the **Points de départ** in **Leçon A**.

1. Qu'est-ce qu'on associe à la Côte d'Azur?

____

____

2. Quels sont les palaces les plus connus de la Côte d'Azur?

____

3. À quelle actrice célèbre associe-t-on Saint-Tropez?

____

4. Quelles villes sont connues pour leur festival de jazz?

____

5. Quel écrivain américain a vécu sur la Côte d'Azur?

____

6. Quels sites attirent les touristes à Nice?

____

____

7. Quelle est l'influence des églises et autres bâtiments religieux à Nice?

____

8. Dans quelle région de France se situe Nice?

____

9. Dans quel domaine la ville de Nice a-t-elle le deuxième rang, après Paris?

____

10. Qu'est-ce que Sophia-Antipolis?

____

Nom et prénom: ______________________ Classe: ______________ Date: ______________

7 A. Summarize the life and works of the painter Matisse. Use the chronology presented in **Du côté des médias**.

____

____

____

____

____

____

____

____

____

____

____

B. You are planning a trip to Nice! You want to visit **Le Musée Chagall** as Marc Chagall is one of your favorite artists. Your French friend does not know this artist. Write down as much information in French as you can about Marc Chagall: his works of art, his style, his inspiration as well as details about him as a person, to educate your friend about him before your trip. You should use the internet as well as the **Points de Départ** in **Leçon A** to help you.

____

____

____

____

____

____

____

____

____

____

____

Nom et prénom: ______________________ Classe: ______________ Date: ______________

Structure

8 Rewrite the following sentences using the adverb in parentheses.

MODÈLE J'aime la Côte d'Azur! (beaucoup)
J'aime beaucoup la Côte d'Azur!

1. Nous allons à la plage. (souvent)

____

2. Ma cousine Frédérique fait du sport. (surtout)

____

3. La famille Teefy fait du ski nautique. (peu)

____

4. Tu as passé du temps à bronzer. (trop)

____

5. Vous mettez de la crème solaire? (toujours)

____

6. Vous avez apporté un parasol? (peut-être)

____

7. Je vais visiter le musée Chagall. (demain matin)

____

8. On a vu un film français très amusant. (hier soir)

____

9 Write adverbs based on the following adjectives.

MODÈLE sûr/sûre
sûrement

1. final/finale
____
2. parfait/parfaite
____
3. triste
____
4. drôle
____
5. heureux/heureuse
____
6. paresseux/paresseuse
____
7. faux/fausse
____
8. simple
____

10 Write adverbs based on the following adjectives.

MODÈLE patient
patiemment

1. prudent
____
2. fréquent
____
3. indépendant
____
4. violent
____
5. élégant
____
6. étonnant
____
7. constant
____
8. récent
____

Nom et prénom: ______________________ Classe: ______________ Date: ______________

11 Form sentences based on the information given to you. Pay close attention to which tense your sentence should be in (indicated in parentheses). Follow the **modèle**.

MODÈLES ta famille/faire du tourisme vert/souvent (présent)
Ta famille fait souvent du tourisme vert.

nous/apporter nos jumelles/enfin (passé composé)
Nous avons enfin apporté nos jumelles.

1. toi et Max, vous/faire du ski nautique/déjà (passé composé)

____

2. nos amis français/nous inviter à la plage/demain matin (présent)

____

____

3. ma famille/faire du parachutisme ascensionnel quand il fait du vent/toujours (présent)

____

4. toi, tu/manger des accras de morues/trop (passé composé)

____

5. Monsieur et Madame Ngong/donner aux ONG/beaucoup (présent)

____

6. moi, je/faire du jet ski avec mon père/enfin (passé composé)

____

7. Adriana/mettre le couvert/mal (passé composé)

____

8. ma mère et moi, nous/ne pas se promener/prudemment (présent)

____

Nom et prénom: ______________________ Classe: ______________ Date: ______________

12 Answer the following questions using the indicated adverb. Follow the **modèles**, and pay attention to the verb tense.

MODÈLES Est-ce que tu as vu un film au cinéma? (hier soir)
Oui, j'ai vu un film au cinéma hier soir.

Comment est-ce que tu fais du ski nautique? (parfaitement)
Je fais du ski nautique parfaitement.

1. Comment est-ce que tu nages? (rapidement)

____

2. Comment est-ce que tu as fait du ski nautique hier? (mal)

____

3. Est-ce que tu as plongé dans l'océan? (enfin)

____

4. Est-ce que tes parents vont à l'église? (souvent)

____

5. Comment est-ce que tu conduis pour aller à l'école? (prudemment)

____

6. Est-ce que vous avez visité le musée Matisse à Nice? (évidemment)

____

____

7. Est-ce que tu fais du parachutisme ascensionnel en été? (surtout)

____

8. Est-ce que tes frères et sœurs sont sportifs? (très)

____

Nom et prénom: ______________________ Classe: ______________ Date: ______________

13 Construct sentences based on the information given. Use the present tense.

MODÈLE Ella/désirer/aller à la plage ce soir
Ella désire aller à la plage ce soir.

1. nous/aller/louer un jet ski

____

2. Myriam et Martin/savoir/nager sous l'eau

____

3. est-ce que tu/pouvoir/sortir ce soir

____

4. moi, je/préférer/voyager en train

____

5. Michaela et son mari/désirer/faire un voyage sur la côte

____

6. je/ne pas aimer/mettre de la crème solaire

____

7. il/falloir toujours/prendre une douche après la plage

____

8. Alec/ne pas vouloir/faire de la voile

____

Nom et prénom: ____________________ Classe: ____________ Date: ____________

14 Fill in the blanks with the preposition **à** or **de**.

1. Tu t'amuses _______ faire du scooter des mers.
2. Grand-mère essaie _______ faire du ski nautique.
3. Patrice décide _______ rester sur la plage.
4. Nous hésitions _______ faire du parachutisme ascensionnel.
5. Le médecin lui conseille _______ faire du sport.
6. Tu as oublié _______ venir au rendez-vous.
7. Mes amis m'invitent _______ les rejoindre sur la plage.
8. J'ai réussi _______ faire du ski nautique.
9. Dépêche-toi _______ te préparer!
10. Elle choisit _______ rester à la maison.
11. Je te promets _______ t'aider à faire de la voile.
12. La jeune touriste rêve _______ rencontrer un acteur célèbre à Saint-Tropez.
13. Mon père s'engage _______ bien préparer le voyage.
14. Nous apprenons _______ jouer de la guitare.

Nom et prénom: ______________________ Classe: ______________ Date: ______________

15 Ask your cousin questions about his recent trip to the **Côte d'Azur**. Follow the **modèle,** using the **passé composé.**

MODÈLE apprendre/faire du scooter des mers
As-tu appris à faire du scooter des mers?

1. essayer/faire de la voile

____

2. commencer/prendre des leçons de théâtre

____

3. finir/écrire ton best-seller

____

4. réussir/rencontrer Marion Cotillard

____

5. choisir/aller au festival de Cannes

____

6. décider/partir en excursion

____

7. arrêter/envoyer des tweets sur la plage

____

8. hésiter/prendre une chambre au Negresco

____

Nom et prénom: ____________________ Classe: ______________ Date: ______________

Leçon B

Vocabulaire

16 Write the expression that corresponds to each definition below. Add the article.

camping-gaz | lampe torche | poêle | casserole | glacière
sac de couchage | canne à pêche | tente | camping-car

1. pour ne pas manger les aliments froids: ____________________
2. pour attraper des poissons: ____________________
3. pour faire des pâtes: ____________________
4. pour faire des omelettes: ____________________
5. pour dormir et avoir chaud: ____________________
6. véhicule où on peut dormir: ____________________
7. habitation qui protège de la pluie: ____________________
8. permet de voir la nuit: ____________________
9. objet qui garde les aliments froids: ____________________

17 Fill in the blanks with the correct vocabulary word or expression.

On a passé de belles vacances. On est parti faire du (1) ____________________ dans les Alpes. On a dormi sous une (2) ____________________. Pour faire la cuisine, on a apporté un (3) ____________________; on a pu faire cuire les pâtes dans une (4) ____________________ et griller les poissons dans une (5) ____________________. En été, il fait très chaud: heureusement on avait une (6) ____________________ pour conserver les boissons et les aliments au frais. Par contre, la nuit en montagne, il peut faire très froid; j'ai dormi dans un (7) ____________________. Et en montagne, il n'y a pas non plus d'électricité, alors il ne faut pas oublier la (8) ____________________.

Nom et prénom: ______________________ Classe: ______________ Date: ______________

18 The Dutronc family is camping. Write what each person is doing according to the illustrations.

MODÈLE

le grand-père

Le grand-père prend sa canne à pêche.

1. la mère

2. les garçons

3. le chien

4. l'oncle et la tante

5. le père

6. la fille

7. les cousins

1. ____

2. ____

3. ____

4. ____

5. ____

6. ____

7. ____

Nom et prénom: ______________________ Classe: ______________ Date: ______________

19 Answer the following questions about camping.

1. Avec ta famille, vous avez souvent fait du camping?

   ____

2. Est-ce que vous préférez dormir sous une tente ou dans un camping-car?

   ____

3. Tu utilises le plus souvent une poêle ou une casserole?

   ____

4. Quand est-ce que tu emmènes une glacière avec toi?

   ____

5. Pourrais-tu faire du camping sans lampe torche? Pourquoi (pas)?

   ____

6. Est-ce que ta famille apporte un camping-gaz quand vous faites du camping?

   ____

7. Quand tu invites tes amis à la maison, dormez-vous sur le sofa parfois?

   ____

8. Préfères-tu le camping ou l'hôtel? Pourquoi?

   ____

Nom et prénom: ______________________ Classe: ______________ Date: ______________

Culture

20 Answer the following questions about the Alps. Refer to the **Points de départ** in **Leçon B.**

1. Les Alpes s'étendent (*extend*) sur combien de pays européens?

   ____

2. Quelle est la plus haute montagne de l'Europe? Quelle est la taille du sommet?

   ____

3. Pourquoi les Alpes attirent (*attract*) les touristes?

   ____

   ____

4. Pourquoi les Alpes sont-elles un site important de l'environnement?

   ____

5. Pour quelle partie du développement durable est-ce que les Alpes sont concernées en politique européenne?

   ____

   ____

Nom et prénom: ______________________ Classe: _____________ Date: _____________

21 Answer the following questions about Grenoble. Refer to the **Points de départ** in **Leçon B**.

1. Où se situe Grenoble?

____

2. Expliquez comment Grenoble est un symbole de la modernité:

   Avant la deuxième Guerre Mondiale:

   ____

   Les inventions:

   ____

   ____

   La recherche grenobloise aujourd'hui:

   ____

3. De nombreux inventeurs de quels pays vivent à Grenoble aujourd'hui?

____

4. Qu'est-ce que le télephérique?

____

____

Nom et prénom: ______________________ Classe: ______________ Date: ______________

Structure

22 Fill in the blanks with the correct form of the verb **dormir** in the present tense.

1. Quand on fait du camping en famille, nous ________________ sous la tente.
2. Est-ce que les gens ________________ vraiment en plein air aujourd'hui?
3. Mon ami Karim ne ________________ jamais dans un sac de couchage. En fait, sa famille

   ________________ dans leur camping-car.
4. Est-ce que tu ________________ bien quand il y a beaucoup de bruit (*noise*)?
5. Monsieur et Mme D'Etat, vous ________________ mieux dans un lit double ou des lits jumeaux?
6. En vacances, Fabian et moi ne ________________ jamais avant minuit.
7. Bon, on ________________ maintenant!
8. Toi, tu ________________ avec la fenêtre ouverte ou fermée?
9. Émilie ne ________________ plus avec sa grande sœur.
10. Quand j'ai peur, je ________________ dans le lit de mes parents.

23 Fill in the blanks with the correct form of the verb **dormir** in the **passé composé**.

1. Alors, qui ____________________ tranquillement (*peacefully*)?
2. Toi, tu ____________________ avec ton petit chat.
3. Ma famille et moi, nous ____________________ chez nos grands-parents la veille (*eve*) de Noël.
4. Derrick et Sylvain ____________________ dans un gîte près de Grenoble.
5. Samia ____________________ avec toutes ses poupées (*dolls*).
6. Hier soir, j'____________________ comme un bébé!
7. Tu ____________________ avec tous ces bruits (*noises*) dans l'hôtel?
8. Mon oncle et ma tante ____________________ à la maison le weekend dernier.
9. Quand il est allé en France, ton meilleur ami ____________________ dans une auberge de jeunesse.
10. Oh, non, j'____________________ avant de finir mes devoirs et maintenant je suis en retard!

Nom et prénom: ______________________ Classe: ______________ Date: ______________

24 Say where the following campers slept last night according to clues provided. Follow the **modèle**.

la tente   le camping-car   à l'hôtel   en plein air   la voiture

MODÈLE Jacques n'avait pas l'électricité, mais il avait un sac de couchage et il a pu lire son best-seller avec sa lampe torche.
Il a dormi sous la tente.

1. L'espace était un peu petit mais nous avons eu assez de confort, et c'était gratuit!

____

2. Parce que sa femme a des problèmes de dos, M. Perrin a fait une réservation pour une chambre confortable.

____

3. Mon chien déteste dormir dans la tente et les endroits fermés, il préfère les grands espaces.

____

4. Toi et moi, nous avons passé une très mauvaise nuit! J'ai mal de partout!

____

5. Juliette a passé la nuit au centre-ville.

____

6. Alors, tu aimes te réveiller avec des insectes à côté de toi?

____

7. Moi, j'ai bien dormi dans mon sac de couchage; j'ai entendu tous les bruits de la nature mais la pluie ne m'a pas touché!

____

8. Isabelle et Julien, vous vous êtes arrêtés au bord de la route, loin des villes et des villages, avec cette pluie!

____

9. Les copains et moi, on a passé toute la nuit sur la plage!

____

10. Mes deux petites sœurs aiment le terrain de camping, elles ont bien dormi et elles ont déjà pris une douche.

____

Nom et prénom: ______________________ Classe: ______________ Date: ______________

25 Compare the way people do the following hobbies and activities. Follow the **modèle**.

MODÈLE Nathalie/partir en vacances souvent/plus que moi
Nathalie part plus souvent en vacances que moi.

1. Michel/conduire prudemment/moins que Xavier

____

2. toi/parler calmement/plus que moi

____

3. tes parents/faire du camping souvent/aussi que mes parents

____

4. le prof de musique/chanter bien/plus que le prof de français

____

5. les filles/nager mal/aussi que les garçons

____

6. Julian/faire beaucoup de sport/plus que Johnny

____

7. Talia/étudier sérieusement/plus que Natasha

____

8. Mme Moen/dormir longtemps/moins que M. Moen

____

9. Ed/s'habiller bien/moins que sa femme

____

10. nous/surfer peu/aussi que nos parents

____

26 You are the director of activities of a summer camp. You need to assign everyone the task that best fits his or her abilities. Complete the chart below with how well you do the activities listed. Then compare everyone's answers and decide who will be assigned what task. Follow the **modèle**.

Activités/ personnes	**Moi**	**Jamila**	**Jean-Charles**	**Toi**	**Abdou**
faire la cuisine		assez bien	mal	bien	très bien
planter la tente		mal	mal	bien	bien
jouer de la musique		très bien	assez bien	très bien	très mal
dormir		mal	bien	assez bien	très bien
connaître la région		assez bien	très mal	très bien	bien
être sportif		assez bien	mal	mal	très bien
avoir peur des animaux sauvages		un peu	beaucoup	un peu	pas
pêcher		mal	très bien	assez bien	mal
aimer les maths		un peu	pas beaucoup	un peu	beaucoup

Nom et prénom: ______________________ Classe: ______________ Date: ______________

MODÈLE Qui va dormir dans le camping-car? Jamila ou Jean-Charles?
Jamila dort moins bien que Jean-Charles, alors Jamila va dormir dans le camping-car.

1. Qui va garder les animaux sauvages loin de la tente? Abdou ou Jean-Charles?

____

____

2. Qui va servir de guide de la région? Jamila et Jean-Charles, ou toi et Abdou?

____

____

3. Qui va organiser les activités sportives? Abdou ou toi?

____

4. Qui va faire la cuisine? Jamila et Jean-Charles, ou Abdou et toi?

____

____

5. Qui va installer la tente? Toi ou moi?

____

6. Qui va jouer de la musique le soir? Jamila ou moi?

____

7. Qui va pêcher pour le dîner? Toi ou Jean-Charles?

____

8. Qui va être responsable du budget? Abdou ou Jamila?

____

Nom et prénom: ______________________ Classe: ______________ Date: ______________

Leçon C

Vocabulaire

27 Based on the map, write the names below next to their corresponding numbers.

la mer Méditerranée	l'océan Atlantique	l'océan Pacifique	l'océan Indien
la Manche	la mer du Nord	la mer des Caraïbes	l'Amérique du Nord
l'Amérique du Sud	l'Europe	l'Afrique	l'Australie	l'Asie

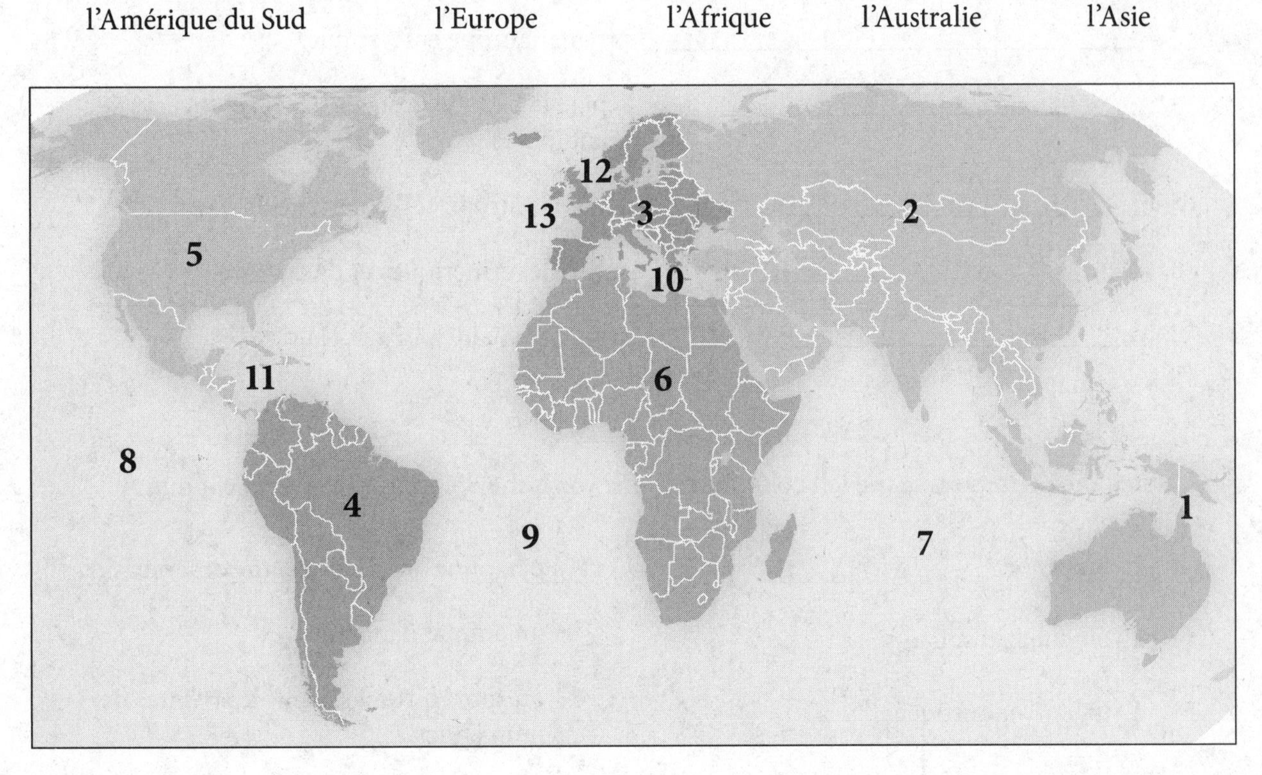

1. ______________________
2. ______________________
3. ______________________
4. ______________________
5. ______________________
6. ______________________
7. ______________________
8. ______________________
9. ______________________
10. ______________________
11. ______________________
12. ______________________
13. ______________________

Nom et prénom: ______________________ Classe: ______________ Date: ______________

28 Write the corresponding body of water for each description given.

La mer Méditerranée L'océan Atlantique L'océan Pacifique L'océan Indien
La Manche La mer du Nord La mer des Caraïbes

1. ______________________ sépare l'Afrique et l'Asie.
2. ______________________ sépare la France et l'Angleterre.
3. ______________________ sépare l'Europe et l'Afrique.
4. ______________________ sépare la Grande Bretagne (*U.K.*) et les Pays scandinaves.
5. ______________________ sépare l'Europe et l'Amérique du Nord.
6. ______________________ sépare les Amériques et l'Asie.
7. ______________________ sépare la Guadeloupe et Haïti.

29 Match the definitions in the left column with the words they refer to in the right column.

1. un canoë
2. un couteau suisse
3. un anti-moustique
4. une trousse de premier secours
5. un hamac
6. un guide
7. amérindien
8. un serpent
9. le tourisme d'aventure
10. une visite guidée

A. personne qui accompagne des touristes
B. un animal dangereux
C. un sport qu'on fait dans les rivières de montagnes
D. d'origine indigène
E. une visite avec une personne qui connaît la région
F. pour dormir entre deux arbres
G. pour couper des petites branches ou se protéger
H. vacances dans la nature sauvage
I. contre les insectes
J. nécessaire en cas d'accident

Nom et prénom: ________________ Classe: ____________ Date: ____________

30 Fill in the blanks with the most logical vocabulary expressions.

Nous voici dans la forêt amazonienne: cet été nous avons choisi de faire du

(1) ______________________. Heureusement nous ne sommes pas tous seuls: nous

avons un (2) ______________________ amérindien qui connaît bien la région et

qui nous offre une (3) ______________________. Nous devons faire très attention

aux insectes, et nous protéger la peau avec un (4) ______________________. Mais le danger

est aussi à nos pieds à cause des (5) ______________________. Ils sont très dangereux et la

(6) ______________________ est toujours dans mon sac à dos. Indispensable aussi, mon

(7) ______________________ qui sert pour tout. La nuit nous dormons dans des

(8) ______________________ pour être isolés du sol (*ground*). Hier nous avons fait du

(9) ______________________ sur le fleuve: c'était formidable.

Culture

31 Answer the following questions about adventure tourism. Refer to the **Points de départ** in **Leçon C**.

1. Sur quels terrains pratique-t-on le tourisme d'aventure en France? ______________________
2. Quelles en sont les activités principales?

   ____

   ____
3. Quelle région française permet de pratiquer le tourisme d'aventure? ______________________
4. Pourquoi la Guyane française est-elle un bon endroit où faire du tourisme d'aventure?

   ____
5. Quelles activités d'aventure peut-on faire en Guyane française?

   ____

   ____

   ____
6. Pourquoi la pêche est-elle intense en Guyane française?

   ____

Nom et prénom: ______________________ Classe: ______________ Date: ______________

32 Answer the following questions about French Guiana. Refer to the **Points de départ** in **Leçon C.**

1. Quelle relation existe-t-il entre la Guyane et la France métropolitaine?

____

2. Sur quel continent se trouve la Guyane française?

____

3. Quel est le paysage principal de la Guyane française?

____

4. La population de la Guyane est constituée de quels groupes ethniques?

____

5. Quelles sont les villes principales?

____

6. Qu'y a-t-il de particulier à Kourou?

____

7. Quel président français a établi cette base?

____

8. Quels lanceurs spatiaux sont à Kourou?

____

9. Pour quel autre site célèbre la Guyane est-elle connue?

____

10. Quel film célèbre a été produit sur ce fameux site?

____

Nom et prénom: ______________________ Classe: ______________ Date: ______________

Structure

33 Rewrite the following sentences, using superlatives. Follow the **modèle**.

MODÈLE Pierre voyage souvent.
Pierre voyage le plus souvent.

1. Je mange vite.

____

2. Nous conduisons prudemment.

____

3. Est-ce que tu danses bien?

____

4. J'apprends les langues facilement.

____

5. Marcel se couche tard.

____

6. Irène et toi, vous travaillez bien.

____

7. Grand-père parle peu.

____

8. Alix et Jean-Claude font souvent du tourisme vert.

____

Nom et prénom: ______________________ Classe: ______________ Date: ______________

34 Rephrase the following sentences using **le moins**. Follow the **modèle**.

MODÈLE Je regarde souvent des films d'horreur.
Je regarde des films d'horreur le moins souvent.

1. Daphnée nage bien.

____

2. Jacques et Martine font du dessin sérieusement.

____

3. Toi, tu te lèves tôt.

____

4. En classe, on fait nos devoirs rapidement.

____

5. Marcel se couche tard.

____

6. Irène et toi, vous travaillez bien.

____

7. Moi, je travaille peu.

____

8. Mes parents regardent peu la télé.

____

Nom et prénom: ______________________ Classe: ______________ Date: ______________

35 Answer the following questions about your French class.

1. Qui travaille le plus?

____

2. Qui chante le mieux?

____

3. Qui est le plus sportif ou la plus sportive?

____

4. Qui fait les activités le plus rapidement?

____

5. Qui parle le plus longtemps?

____

6. Qui écoute le professeur le mieux?

____

7. Qui réfléchit le plus sérieusement?

____

8. Qui envoie un texto en classe le plus souvent?

____

9. Qui conduit le moins prudemment?

____

10. Qui dessine le moins souvent?

____

Nom et prénom: ____________________ Classe: ______________ Date: ______________

36 Read the following chart, then answer the questions, using the superlative.

	Rachid	**Justin**	**Rose**	**Malika**
Travailler en semaine	25h	30h	22h	20h
Se lever le weekend	9h00	10h00	8h30	7h00
Acheter au McDo	3,50€	6€	5,50€	4€
Aller au cinéma	2/mois	3/mois	4/mois	2/mois
Faire du sport	5/semaine	5/semaine	3/semaine	2/semaine

1. Qui travaille le plus en semaine?

   ____

2. Qui travaille le moins en semaine?

   ____

3. Qui se lève le plus tôt le weekend?

   ____

4. Qui se lève le moins tôt le weekend?

   ____

5. Qui achète le plus au McDo?

   ____

6. Qui achète le moins au McDo?

   ____

7. Qui va le plus souvent au cinéma?

   ____

8. Qui fait du sport le moins souvent?

   ____

